Lernkrimi

Der Mann ohne Gesicht

Story: Marc Hillefeld
Übungen: Dr. Ingrid Schleicher

Compact Verlag

Bisher sind in dieser Reihe erschienen:

- Compact Lernkrimi Englisch:
  Grundwortschatz, Aufbauwortschatz, Grammatik, Konversation
- Compact Lernkrimi Englisch GB/US: Grammatik, Konversation
- Compact Lernkrimi Business English: Wortschatz, Konversation
- Compact Lernkrimi Französisch:
  Grundwortschatz, Aufbauwortschatz, Grammatik, Konversation
- Compact Lernkrimi Italienisch: Grundwortschatz, Grammatik
- Compact Lernkrimi Spanisch:
  Grundwortschatz, Aufbauwortschatz, Grammatik, Konversation
- Compact Lernkrimi Deutsch: Grundwortschatz, Grammatik

In der Reihe Schüler-Lernkrimi sind erschienen:

- Compact Schüler-Lernkrimi Englisch
- Compact Schüler-Lernkrimi Französisch
- Compact Schüler-Lernkrimi Spanisch
- Compact Schüler-Lernkrimi Latein
- Compact Schüler-Lernkrimi Deutsch: Grammatik, Aufsatz
- Compact Schüler-Lernkrimi Mathematik

In der Reihe Lernthriller sind erschienen:

- Compact Lernthriller Englisch:
  Grundwortschatz, Aufbauwortschatz, Grammatik, Konversation

In der Reihe Lernstory Mystery sind erschienen:

- Compact Lernstory Mystery Englisch:
  Grundwortschatz, Aufbauwortschatz

Weitere Titel sind in Vorbereitung.

Chefredaktion: Dr. Angela Sendlinger
Redaktion: Iris Glahn
Produktion: Wolfram Friedrich
Titelillustration: Karl Knospe
Typografischer Entwurf: Maria Seidel
Umschlaggestaltung: Carsten Abelbeck

ISBN-13: 978-3-8174-7410-3
ISBN-10: 3-8174-7410-5
7274103

Besuchen Sie uns im Internet: www.compactverlag.de

Vorwort

Mit dem neuen, spannenden Compact Lernkrimi können Sie Ihre Deutschkenntnisse auf schnelle und einfache Weise vertiefen, auffrischen und überprüfen.
Kommissar Paul Specht erleichtert das Sprachtraining mit Action und Humor. Er und seine mysteriösen Kriminalfälle stehen im Mittelpunkt einer zusammenhängenden Story.
Der Krimi wird auf jeder Seite durch abwechslungsreiche und kurzweilige Übungen ergänzt, die das Lernen unterhaltsam und spannend machen.
Prüfen Sie Ihr Deutsch in Lückentexten, Zuordnungs- und Übersetzungsaufgaben, in Buchstabenspielen und Kreuzworträtseln!
Ob im Bus oder in der Bahn, im Wartezimmer, zu Hause oder in der Mittagspause – das Sprachtraining im handlichen Format bietet die ideale Trainingsmöglichkeit für zwischendurch.
Schreiben Sie die Lösungen einfach ins Buch!
Die richtigen Antworten sind in einem eigenen Lösungsteil zusammengefasst.

Und nun kann die Spannung beginnen …

Viel Spaß und Erfolg!

Inhalt

Story

Paul Specht arbeitet als Kommissar bei der Kriminalpolizei in München. Er ist einer der fähigsten Männer und wird immer dann zu Rate gezogen, wenn seine Kollegen mal wieder vor einem Rätsel stehen. Seine patente und modebewusste Sekretärin Eva Hansen aus Hamburg unterstützt ihn stets mit Tatendrang und ihrer trockenen Art. Und insgeheim verfolgten die beiden noch ein weiteres Ziel: sich endlich auch privat etwas näher zu kommen.

Ein Serientäter treibt sein Unwesen in den Nobelvierteln Münchens. Das mysteriöse an den Diebstählen ist, dass der Räuber ausschließlich Schmuck und kein Bargeld oder sonstige Wertgegenstände entwendet. Außerdem hinterlässt er an jedem Tatort sein Markenzeichen.
Kommissar Specht geht auf die Suche nach dem Täter und gerät in einen Kriminalfall, der zunehmend verzwickter wird. Welches Motiv treibt den Verbrecher an? Und was hat Spechts ehemaliger Kollege Erwin Wanninger mit den Diebstählen zu tun?
Nach und nach gelingt es Kommissar Specht, Licht in das Dunkel des Unerklärlichen zu bringen ...

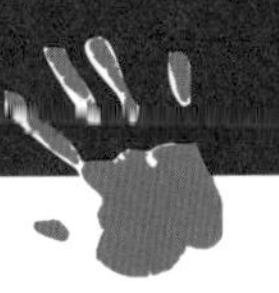

Der Mann ohne Gesicht

Morgen endlich dienstfrei! Mit diesem Gedanken und der Vorfreude auf einen freien Tag fuhr Kommissar Specht spätabends vom Polizeipräsidium nach Hause. Er liebte die Stadt München. Hier war er geboren, ein echter Münchner sozusagen. Und darauf war er stolz. Er hatte noch nie den Wunsch gehabt, an einem anderen Ort zu leben. Anders als sein Vorgänger, der in Frührente gegangen war und sich ein altes Weingut in der Toskana gekauft hatte, um dort mit seiner Frau den Lebensabend zu verbringen. Es musste ein Vermögen gekostet haben. Sein ehemaliger Chef Erwin Wanninger hatte entweder im Lotto gewonnen oder viel geerbt. Denn von der Rente allein, schon gar nicht von der eines Kommissars, konnte er sich ein solches Anwesen bestimmt nicht leisten. Schon öfter war Paul Specht von ihm dorthin eingeladen worden. Aber bis jetzt hatte er immer eine passende Ausrede gefunden, in München bleiben zu können. Irgendwann, so nahm er sich jedoch fest vor, wollte er ihn aber doch einmal besuchen. Obwohl er lieber bayerisches Bier als italienischen Wein trank. Und statt Pizza oder Spagetti lieber Weißwürste mit Senf und Brezeln oder Schweinebraten mit Kartoffelknödeln aß. Schon bei dem Gedanken lief ihm das Wasser im Mund zusammen.

Übung 1: Bilden Sie den Plural!

ÜBUNG 1 !

1. das Präsidium ______________
2. der Wunsch ______________
3. die Rente ______________
4. das Weingut ______________

5. das Vermögen ______________

6. die Ausrede ______________

7. der Wein ______________

„Wie schön München doch ist“, dachte er zufrieden auf seiner Heimfahrt und nahm sich fest vor, am nächsten Tag einen ausgedehnten Spaziergang im Englischen Garten zu unternehmen und in seinem Lieblingslokal auf ein gepflegtes Mittagessen einzukehren. Auch jetzt zu dieser nächtlichen Stunde hatte die Stadt im Licht der Straßenlaternen ihren ganz besonderen Charme. Specht hatte schon in vielen Stadtvierteln gewohnt: Schwabing, Haidhausen, Giesing und Pasing. Jetzt wohnte er im Westend. Das Westend lag nicht etwa am westlichen Ende der Stadt, sondern mittendrin, neben der Theresienwiese. Außerdem hieß es offiziell Schwanthalerhöhe. Es war der kleinste Bezirk Münchens. Hier gab es nur ein paar Straßen, in denen sich alles Wesentliche abspielte.

ÜBUNG 2 !

Übung 2: Setzen Sie die Artikel ein und bilden Sie den Plural!

1. _____ Viertel ______________

2. _____ Stadt ______________

3. _____ Bezirk ______________

4. _____ Dorf ______________

5. _____ Platz ______________

6. _____ Straße ______________

Das Leben im Westend war wie in einem kleinen Dorf. Der Gollierplatz war mit seinen angrenzenden kopfsteingepflasterten Straßen der wohl schönste Fleck des Viertels: Hier fütterten alte Damen Tauben, Männer spielten in ihrer Freizeit Schach und Jugendliche trafen sich. Man sagte, dass das Westend das kommende In-Viertel werden würde, doch das kümmerte Paul Specht wenig. Er fühlte sich hier wohl, denn hier wohnte er mitten in der Stadt und war dennoch fern vom Trubel der Innenstadt und den vielen Touristen.

Übung 3: Setzen Sie die Verben im Präteritum ein!

Seit etwa einem Jahr (1. bewohnen ________) er eine Drei-Zimmer-Altbauwohnung in einem Haus der Jahrhundertwende in der Gollierstraße. Die Wohnung (2. ist _____) mit Parkettboden und Stuckdecken ausgestattet, so wie er sich das immer gewünscht hatte. Im Wohnzimmer (3. stehen _____) sogar ein funktionstüchtiger Holzofen, wie man ihn früher (4. haben_________), als es noch keine Zentralheizung (5. geben ________). Eine Rarität, die man heutzutage nicht mehr oft (6. finden ________).

Die Leute, die in diesem Mietshaus lebten, (7. bilden ________) ein buntes Völkchen. Über ihm (8. wohnen ________) ein ehemaliger Biologie-Lehrer, der auf dem Dachboden Bienen (9. beherbergen __________) und stolze zwanzig bis dreißig Kilogramm

Honig pro Jahr (10. gewinnen ________). Seine Bienen (11. holen ________) sich den Nektar nicht im Westend, sondern (12. fliegen ________) über die Theresienwiese hinweg zu den blühenden Bäumen auf der anderen Seite. Ähnlich wie es die Leute (13. machen ________), die hier ansässig waren: In der Stadt (14. arbeiten ________) und im Westend (15. leben ________) sie. Neben ihm wohnte ein Künstler, der seltsame Skulpturen formte und in der Szene sehr bekannt sein sollte, das hatte ihm zumindest Frau Brösel erzählt, die Hausmeisterin, die einfach alles (16. wissen ________). Specht hatte von Kunst wenig Ahnung und hätte sich eine solche Skulptur nie in die Wohnung gestellt. Im zweiten Stock lebten Studenten in einer Wohngemeinschaft. Da wurden manchmal wilde Feste gefeiert, auch das hatte ihm die Hausmeisterin erzählt. Doch davon (17. bekommen ________) er wenig mit. Frau Brösel (18. sehen _____) und (19. hören ________) einfach alles, man (20. kommen ________) einfach nicht an ihr vorbei, da sie im ersten Stock wohnte. Sie war eine gute Beobachterin und (21. verdienen ________) es eigentlich, in den Polizeidienst aufgenommen zu werden.

Frau Brösel war Witwe und lebte schon sehr lange in der Gollierstraße. Obwohl ihre Lieblingsbeschäftigung das Tratschen war,

war sie doch die gute Seele des Hauses. Denn sie brachte nicht nur den Flur und die Treppen auf Hochglanz, fegte fein säuberlich den Hinterhof und pflegte die dort wachsenden Pflanzen, als wären sie die ihren. Sie war außerdem sehr hilfsbereit, nahm Post entgegen, wenn man nicht zu Hause war, und half schon mal mit Milch, Salz oder Eiern aus, wenn man keine Zeit zum Einkaufen gehabt hatte. „Glück muss man im Leben haben“, dachte sich Specht, als er vor seinem Haus einen Parkplatz fand. Die Parkplatzsituation war ein echtes Problem hier. Er wartete bereits seit Monaten auf einen Stellplatz im nahe gelegenen Parkhaus. Das war aber auch wirklich das Einzige, was er an diesem Viertel auszusetzen hatte. „Ein gutes Omen für meinen freien Tag“, sagte er fröhlich vor sich hin. Er öffnete die schwere Eingangstür, an deren Außenseite ein Löwenkopf mit einem Ring durch die Nase prangte, und trat in das Treppenhaus. Manchmal quietschte diese Tür, doch Frau Brösel kümmerte sich auch darum und tröpfelte ab und zu ein bisschen Öl in die Scharniere. Er liebte das Treppenhaus und die knarrenden Holztreppen, ausgenommen beim Schleppen von Einkaufstüten, es gab nämlich keinen Aufzug im Haus. Es erinnerte ihn immer an einen alten Kriminalfilm, in dem ein Serientäter sein Unwesen trieb. Der Film hieß *Mord im Treppenhaus* und seine Lieblingsszene sah so aus: völlige Stille im Hausflur, das Licht fällt aus, dann ein Knarren und ein lauter gellender Schrei ...

Übung 4: Unterstreichen Sie die direkte Rede!

„Hallo“, hörte er hinter seinem Rücken. Ein leichtes Zucken durchfuhr seinen Körper. „Herr Specht, Sie kommen heute aber wieder spät nach Hause.“
Er drehte sich um. „Frau Brösel, Sie sind noch wach?“

„Ich dachte, ich müsste noch mal nach dem Rechten schauen. Aber jetzt sind ja alle meine Schäfchen zu Hause. Dann geh ich jetzt auch mal schlafen. Gute Nacht, Herr Specht." Lachend schloss sie ihre Tür.

Völlig irritiert antwortete er: „Sie auch, Frau Brösel." Irgendwie hatte er das Gefühl, ertappt worden zu sein, wie früher, als seine Mutter auf ihn gewartet hatte, bis er nach Hause kam.

ÜBUNG 5 !

Übung 5: Beantworten Sie die Fragen!

1. In welcher Stadt wohnt Kommissar Specht?

___

2. Wer wohnt über ihm?

___

3. Wer lebt im zweiten Stock?

___

4. Wer ist Frau Brösel?

___

5. Ist Frau Brösel neugierig?

___

Paul Specht schreckte auf. „Oh nein, nicht schon wieder aufstehen." Moment, das konnte gar nicht sein. Er hatte doch heute dienstfrei, er konnte ausschlafen und bei einem ausgedehnten Frühstück in Ruhe die Zeitung lesen, dann im Englischen Garten spazieren gehen und in seinem Lieblingsrestaurant seine Leibspeise, Schweinebraten mit Knödeln, zu sich nehmen. Meist mit einem

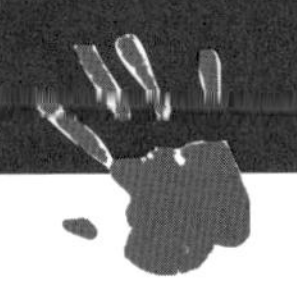

Nachschlag, beziehungsweise noch einem Knödel. Er hatte sich so darauf gefreut. In den letzten drei Wochen hatte er wenig Schlaf bekommen und war fast ununterbrochen im Dienst gewesen. Es war auch nicht sein kleiner bronzefarbener Reisewecker, ein Weihnachtsgeschenk seiner Mutter, der ihn aus seinen Träumen riss, sondern das Telefon neben seinem Bett. Das Zifferblatt des Weckers zeigte 7.15 Uhr. Er hob widerwillig den Hörer ab. „Ja!“, brummte er völlig verschlafen ins Telefon.

Übung 6: Unterstreichen Sie die Verben im Infinitiv!

ÜBUNG 6 !

Eine aufgeregte weibliche Stimme brachte ihn schnell in die Realität seines Berufsalltags zurück. “Herr Specht, Sie müssen bitte sofort kommen. Der Wolpertinger hat wieder zugeschlagen!“
Es war seine neue Sekretärin, eine Zugereiste aus Norddeutschland, die eigentlich nur zu ihrer Schwester zu Besuch gekommen war, Süddeutschland aber so schön gefunden hatte, dass sie beschlossen hatte, für einige Jahre in Bayern zu leben. Eine sehr attraktive junge Dame, wie er fand, hübsch anzusehen, wäre da nur nicht dieser Dialekt ...
„Bitte entschuldigen Sie die frühe Störung, ich weiß ja, Sie haben Ihren wohlverdienten freien Tag, aber der Chef wollte ausdrücklich, dass ich Sie sofort verständige!“
„Ist ja schon gut“, erwiderte er grantig. Das lag aber weniger daran, dass er sich gestört fühlte, sondern vielmehr an der Tatsache, dass der Wolpertinger wieder zugeschlagen hatte.
Bereits seit gut einem halben Jahr verfolgte er die Spuren des Wolpertinger-Phantoms und versuchte, die mysteriösen Diebstähle in reichen Villenvierteln, vorwiegend in München, Starnberg und rund um den Tegernsee, zu lösen. Doch bisher ohne Erfolg.

Das Anwesen der Meischners war eine eindrucksvolle Villa in Bogenhausen. Franz Xaver Huber, Kriminalrat und Spechts Chef, erklärte ihm, während sie zum Hauseingang schritten: „Den Meischners oder vielmehr der Familie der Frau hat früher mal ein großes Bekleidungshaus gehört, das hauptsächlich Pelze verkauft hat. Übrigens, Herr Specht, ich bin mitgefahren, weil ich mir auch mal einen Wolpertinger-Tatort ansehen wollte – nur um mir ein Bild zu machen natürlich. Verstehen Sie das bitte nicht falsch."
Specht blickte ihn wortlos an.
In den frühen Morgenstunden war in die Villa Meischner eingebrochen worden. Die Dame des Hauses hatte den Einbrecher gestört, als sie die Treppe hinunter zur Bibliothek gegangen war. Soviel wussten die beiden Beamten schon aus dem Präsidium.
Auf ihr Klingeln öffnete eine Hausangestellte.
„Huber, Kriminalpolizei München", stellte sein Chef sich vor. „Und das ist mein Kollege Specht."

ÜBUNG 7 !

Übung 7: Setzen Sie die Verben vom Präteritum ins Perfekt!

1. schritten ____________________
2. verkaufte ____________________
3. ging ____________________
4. stellte vor ____________________
5. war ____________________
6. standen ____________________
7. lag ____________________
8. hattest ____________________

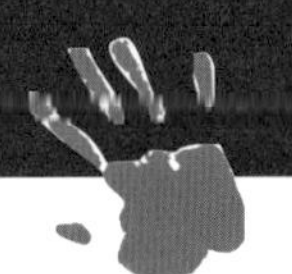

Sie wurden freundlich hereingebeten und in den roten Salon geführt, einen Raum, der in etwa so groß wie Spechts Drei-Zimmer-Wohnung war. Das Mobiliar war sehr edel, wahrscheinlich alles teure Antiquitäten. An den Wänden hingen große Ölgemälde und in den Regalen standen Skulpturen, die denen von Spechts Nachbarn täuschend ähnlich sahen. „Wer's mag", dachte sich Specht.

Übung 8: Unterstreichen Sie im folgenden Absatz alle Adjektive und Adverbien!

Frau Meischner lag, mit einem rosafarbenen Seiden-Morgenmantel bekleidet, auf einem braunen Ledersofa. Sie war eine zierliche Dame, schätzungsweise sechzig Jahre alt, mit pechschwarzem, vermutlich gefärbtem, hochgestecktem Haar. Sie sah, trotz ihrer gepflegten Erscheinung, etwas mitgenommen aus. So, als hätte sie einen Geist gesehen. Oder Schlimmeres.

„Ich konnte nicht schlafen", berichtete sie aufgeregt. „Deshalb ging ich etwa um halb vier Uhr morgens in die Bibliothek, um mir ein Buch zu holen. Da hörte ich im Arbeitszimmer meines Mannes ein Geräusch."
„Wo war denn ihr Mann?", unterbrach Huber sie.
Frau Meischner zögerte etwas, dann erklärte sie: „Mein Mann ist mit seiner, äh, mit seinem Freund auf einer Jagdhütte in Oberammergau." Dabei errötete sie leicht. „Er ist leidenschaftlicher Jäger, müssen Sie wissen. Aber er wollte heute Nachmittag wieder zurückkommen. Ich habe ihn bereits angerufen."
„Aha", dachte sich Specht, „Herr Meischner ist also Jäger, besser ja wohl Angler! Der hat sich nebenbei eine Freundin geangelt.

Großes Haus, tolles Leben ..., alles nur Schein. Geld allein macht also auch nicht glücklich.“ Er war, wie so oft in seinem Job, froh, dass man Gedanken nicht lesen konnte.
Frau Meischner stand auf und wanderte durch den Raum, während sie mit ihrem Bericht fortfuhr. „Also, ich betrat das Arbeitszimmer meines Mannes, weil ich dieses Geräusch gehört hatte, und dann sah ich diesen ...“
„Sie haben den Einbrecher gesehen? Konnten Sie sein Gesicht erkennen?“, fragte Specht aufgeregt. Denn bis jetzt wusste niemand, wie das Wolpertinger-Phantom überhaupt aussah.
Frau Meischner schüttelte heftig den Kopf. „Nein. Das ist es ja gerade! Er hatte kein Gesicht!“
Specht schluckte. „Wie bitte?“, fragte er fassungslos.

ÜBUNG 9!

Übung 9: Ordnen Sie die Worte zu Sätzen!

1. nebenbei – sich – Meischner – Freundin – geangelt – eine – hatte

____

2. Schock – sein – gewesen – es – ziemlicher – ein – musste

____

3. Furchtbares – sie – etwas – noch – gesehen – so – hatte – nie

____

4. Gesicht – Meischner – konnte – des – Frau – nicht – Einbrechers – erkennen – das

____

Frau Meischner setzte sich wieder. Die Erinnerung an die furchtbare Begegnung beunruhigte sie offensichtlich sehr. „Als ich das Zimmer betrat, wollte der Einbrecher gerade durch die Terrassentür fliehen. Er hörte mich und blickte sich um – und er hatte kein Gesicht! Ich habe noch nie so etwas Furchtbares gesehen. Beziehungsweise nicht gesehen. Oder ... ich weiß nicht ..."
Frau Meischner war völlig durcheinander und zupfte nervös an ihrem Haar und ihrem Morgenmantel herum.
„Bitte beruhigen Sie sich, Frau Meischner!", warf Franz Xaver Huber in einem Tonfall ein, dem zu entnehmen war, dass er ihr nicht so recht glaubte.

Übung: 10: Ist das Verb stark? Markieren Sie!

ÜBUNG 10!

	stark	schwach
1. fliehen	( )	( )
2. blicken	( )	( )
3. sehen	( )	( )
4. beruhigen	( )	( )
5. entnehmen	( )	( )
6. lachen	( )	( )
7. denken	( )	( )
8. wissen	( )	( )

„Der Dieb lachte nur kurz auf und verschwand dann in der Dunkelheit. Ich blieb fassungslos zurück. Als ich wieder klar denken konnte, sah ich, dass das Porträt meines Großvaters auf dem Boden stand. Dahinter ist der Safe, wissen Sie? Er war geöffnet, und mein ganzer Schmuck im Wert von etwa einer Million Euro fehlte. Völlig unbegreiflich ist, dass der Dieb das Bargeld im Safe und auch alle anderen Wertgegenstände zurückließ. Bargeld im

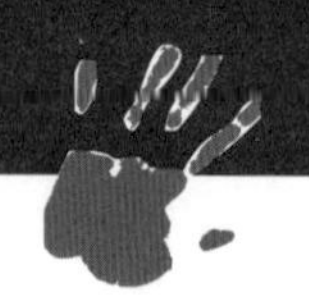

Wert von schätzungsweise einer halben Million Euro. Die Kunstgegenstände, die in den Regalen stehen, das silberne Teegeschirr in der Ecke, die kleine chinesische Ming-Vase auf der Ablage, alles ist noch da. Und sehen Sie nur, dieses seltsam aussehende Wesen hier, das hat er wohl als kleines Dankeschön für den Schmuck an die Safe-Tür gehängt. Vielleicht gehört dieses eklige Ding auch zu einem Voodoo-Zauber, man liest ja immer wieder etwas über solche Vorfälle."

! ÜBUNG 11

Übung 11: Setzen Sie die folgenden Ausdrücke in den Dativ!

1. das gleiche Muster ____________________
2. alle anderen Einbrüche ____________________
3. ein ganzes Regal ____________________
4. die kleine chinesische Vase ____________________
5. dieses eklige Ding ____________________
6. eine moderne Alarmanlage ____________________
7. der dreiste Serientäter ____________________
8. wertvolle Erbstücke ____________________

Huber und Specht schauten sich kurz an. Ja, es war offensichtlich, er hatte wieder zugeschlagen. Es war so typisch – das gleiche Muster wie immer. Der Dieb war nur an Schmuck interessiert, alles andere ließ er liegen. Für die Meischners ein Glück, denn der Schmuck war sicherlich, wie bei allen anderen Einbrüchen zuvor, gut versichert. Der Wolpertinger, so nannten sie sinnigerweise den Serientäter, ließ am Tatort immer sein Erkennungszeichen zurück:

einen Wolpertinger. Der Wolpertinger war in etwa mit Nessie, dem Ungeheuer aus Schottland, vergleichbar. Eine erfundene Gestalt, die als eine Mischung aus Nagetier, Huftier und Vogel mit und ohne Geweih dargestellt wurde, und mit der die Bayern sich selbst und die Touristen gerne veralberten. Mittlerweile konnten sie mit diesen seltsamen Hinterlassenschaften des Diebes schon ein ganzes Regal füllen.

„Im Haus ist doch sicherlich eine Alarmanlage installiert, gnädige Frau?", warf Huber ein.

„Ja, selbstverständlich. Eine technisch hoch moderne Anlage sogar. Das kann Ihnen mein Mann aber besser erklären. Eigentlich ist es unmöglich, dass sie ausfällt. Der Einbrecher muss es irgendwie geschafft haben, sie abzuschalten", sinnierte Frau Meischner.

„Das kennen wir schon. Wir vermuten, dass wir es hier mit einem Serientäter zu tun haben, der eine Menge von seinem Handwerk versteht", erklärte Huber.

Übung 12: Setzen Sie die fehlende Adjektivform ein!

Positiv	Komparativ	Superlativ
1. ausgefeilt	__________	am __________
2. __________	besser	am __________
3. lustig	__________	am __________
4. __________	__________	am meisten
5. groß	__________	am __________
6. __________	höher	am __________

„... Und sich über uns lustig macht“, dachte sich Specht, sprach es aber nicht aus. Am meisten ärgerte er sich über diese Wolpertinger-Figuren, die der Räuber am Ort des Verbrechens zurückließ. Dadurch fühlte sich Specht persönlich beleidigt. Es hatte fast den Anschein, als wolle der Täter der Polizei eins auswischen.

ÜBUNG 13 !

Übung 13: Setzen Sie die direkte Rede des folgenden Absatzes in die indirekte Rede!

„Es ist mir völlig egal, ob dieser Dieb ein Technikgenie, ein Serientäter oder ein Idiot ist. Ich will meinen Schmuck zurück! Darunter befinden sich auch Erbstücke aus meiner Familie. Sie sind sehr kostbar, nicht nur in finanzieller Hinsicht, sie haben einen unschätzbaren persönlichen Wert für mich.“ Frau Meischner hatte sich offensichtlich wieder gefangen, ihre Stimme klang auf einmal sehr bestimmend.

Frau Meischner sagte, dass ______________________________

____

____

____

____

____

Kommissar Specht und sein Chef versicherten der aufgebrachten Frau, alles zu tun, was in ihrer Macht stand. Dann verließen sie das Zimmer so schnell wie möglich.

„Was halten Sie von der Geschichte mit dem gesichtslosen Dieb?“,

fragte der Kommissar seinen Vorgesetzten.
„Schlimm genug, dass er immer diese albernen Plüschpuppen zurücklässt", murrte Huber. „Und jetzt ist er plötzlich auch noch ein Mann ohne Gesicht. Wo gibt's denn so was?"
„Nur in München", murmelte Specht. „Nur in München."
„Aber nicht, solange ich hier der Polizeichef bin, Specht. Finden Sie diesen Kerl ohne Gesicht – bevor ich mein Gesicht vor dem Regierungspräsidenten verliere, klar?"
Specht nickte eifrig. „Natürlich." Dabei hatte er noch keine Ahnung, wie er das anstellen sollte.

Am nächsten Tag im Büro ging Eva Hansen ihrer Lieblingsbeschäftigung nach. Sie recherchierte im Internet. „Herr Specht, es ist kein Wunder, dass Sie den Wolpertinger jetzt nicht zur Strecke bringen können", stellte sie mit verschmitztem Lächeln fest.
„Wie meinen Sie denn das?", fragte er übellaunig.

Übung 14: Unterstreichen Sie im folgenden Absatz alle Konjunktivformen!

„Na ja, hier auf der offiziellen Homepage, die übrigens vom Kreis der Wolpertinger-Freunde eingerichtet wurde, steht, dass Frühling und Sommer die besten Jahreszeiten für die Wolpertinger-Jagd seien. Und da wir gerade Herbstanfang haben ... Die lauen Frühlings- und Sommernächte würden nämlich die Pirsch erleichtern. Allerdings sei es in der warmen Jahreszeit auch schwieriger, die Spuren dieser scheuen Tiere auszumachen. Weiter steht hier, dass sich der Wolpertinger stets abseits von Straßen und Wegen aufhalte. Er bevorzuge schlecht einsehbare Buschgruppen und dichtes Unterholz. An solch einer Stelle könne man ihm dann leicht auflauern. Es heißt weiter, dass der Wolpertinger trotz seines scheuen Wesens ein lebensfrohes Geschöpf sei und sich durch Licht anlocken lasse. Man müsse dann lediglich einen Sack auf den Boden legen. Der überaus neugierige Wolpertinger würde sogleich in den Sack hineinschlüpfen, um nachzuschauen, was sich darin verborgen hält. Man müsse dann nur noch den Sack zubinden. Aufpassen solle man aber auf das Wolpertinger-Geweih, es sei wohl sehr empfindlich."

„Frau Hansen, noch ein Satz, und ich schicke Sie zurück nach Ostfriesland", erwiderte Specht grinsend.
„Aber Chef, Sie kennen doch meine Personalakte. Ich komme nicht aus Ostfriesland, sondern aus der Weltstadt mit Herz, nämlich aus Hamburg."
„Moment mal, jetzt reicht es aber wirklich. Noch ein Wort und ...! Weltstadt mit Herz ..., dass ich nicht lache. Damit kann ja wohl nur München gemeint sein."
Eva freute sich, dass sie es geschafft hatte, Specht auf andere Gedanken zu bringen. Denn schon seit ein paar Tagen lief er übellaunig durch die Gegend. Und an allem war nur dieser mysteriöse Wolpertinger schuld. „Herr Specht, das war doch nur ein Scherz, ich wollte Sie doch nur ein bisschen hochnehmen. Bitte entschuldigen Sie. Wie kann ich das nur wieder gut machen? Was halten Sie davon, wenn ich Sie heute Abend zu ihrem Lieblingsessen, einem köstlichen Schweinebraten mit extra viel Knödeln, einlade?" Kaum hatte sie diesen Satz ausgesprochen, wollte sie im Boden versinken. Wie kam sie dazu, ihren Chef einzuladen, wo sie doch sonst eher schüchtern war?
Specht schaute sie verwundert an, er war so verblüfft, dass er kein Wort mehr herausbrachte. Und das passierte nun wirklich nicht oft. Sie atmete kräftig durch und versuchte sich wieder zu fangen: „Wir norddeutschen Mädchen sagen eben geradeheraus, was wir

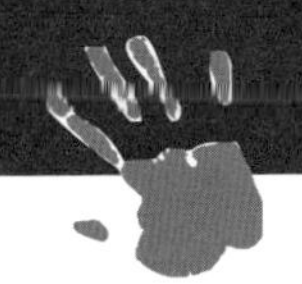

denken. Außerdem glaube ich, dass Sie mal auf andere Gedanken kommen sollten. Also, was halten Sie davon?“

Übung 15: Kreuzen Sie den richtigen Artikel im Singular an und bilden Sie das Lösungswort!

	der	die	das
1. Teenager	M	N	D
2. Prinzip	Ä	Ü	Ö
3. Gedanke	R	S	T
4. Griff	D	T	P
5. Arbeitsessen	I	A	E
6. Unsinn	R	N	G

Lösungswort: ____________________

Specht war immer noch so perplex, dass er sehr schnell und fast automatisch antwortete: „Erstens lasse ich mich nicht von Frauen zum Essen einladen, sondern pflege dies umgekehrt zu handhaben. Und zweitens, schon gar nicht von norddeutschen Kolleginnen.“ Er stockte etwas und sah sie an. „Wobei, wenn ich mir das recht überlege ... Essen muss ich sowieso etwas, und wir könnten uns ja über den Fall unterhalten! Also, warum eigentlich nicht? Vorausgesetzt, dass ich die Rechnung begleichen darf.“ Dabei dachte er insgeheim, dass er in diesem Moment seine geliebten Prinzipien verletzte, nach denen er bisher sehr gut gelebt hatte.
„Prima, dann dürfen Sie mich um 19.30 Uhr abholen.“
„Puh, die geht aber ran“, dachte sich Specht und vergaß für kurze, aber wirklich nur für ganz kurze Zeit seinen Fall.

ÜBUNG 16 !

Übung 16: Beantworten Sie die Fragen zum Text!

1. Was ist Evas Lieblingsbeschäftigung im Büro?

____

2. Aus welcher Stadt kommt sie?

____

3. Was möchte sie am Abend mit Specht unternehmen?

____

4. Wer wird die Rechnung bezahlen?

____

Um 19.00 Uhr musterte sich Specht im Spiegel und sah zum hundertsten Mal auf die Uhr. „Viel zu früh fertig", dachte er bei sich. „Ich komme mir vor wie ein Teenager. Dabei handelt es sich doch einfach nur um ein Arbeitsessen. Zwar mit seiner sehr gut aussehenden Kollegin, aber es wird ein reines Arbeitsessen werden. Also, wofür habe ich mich eigentlich so herausgeputzt? Gut, dass mit dem Baden und Rasieren ist ja normal. Ist es aber auch normal, dass ich mich nun bereits zum dritten Mal umgezogen habe?" „Paul, nun ist aber Schluss mit dem Unfug!", rief er sich vor dem Spiegel selbst zur Ordnung. „Du bleibst nun so, wie du bist." Er hatte sich für eine mausgraue Flanellhose und ein schwarzes, schlichtes Polohemd entschieden. Darüber zog er sein Lieblingsjackett für besondere Anlässe. Aus einem kleinen Schränkchen holte er seine schwarzen italienischen Halbschuhe, die sehr modern sein sollten, das sagte zumindest seine Hausmeisterin. Leider bekam er davon immer schreckliche Blasen. Aber er brauchte heute Abend ja nicht viel herumzulaufen.

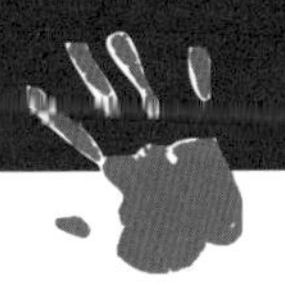

Specht zog die Tür hinter sich zu und musste einige Straßenzüge gehen, weil er, wie so oft, keinen Parkplatz gefunden hatte. Er stieg in sein Auto und fuhr Richtung Schwabing. Er war noch keine zehn Minuten unterwegs, als sein Handy klingelte: „Specht, egal wo Sie jetzt sind, Sie müssen sich sofort auf den Weg nach Prien machen!"

Übung 17: Setzen Sie die Verben in der angegebenen Person ins Präteritum!

ÜBUNG 17 !

1. anziehen er ______________________
2. fahren wir ______________________
3. hinterlassen ihr ______________________
4. schnappen ich ______________________
5. davonlaufen sie ______________________
6. denken ihr ______________________
7. bekommen du ______________________
8. nehmen er ______________________

„Aber", Specht stockte, „Herr Huber, das ist am Chiemsee, was ist denn pa ..." Er kam nicht dazu, seine Frage zu beenden.
„Unser Freund, der Wolpertinger, hat mal wieder ein paar Klunker mitgehen lassen. Dieses Mal im noblen Wellnesshotel Kaiserresidenz. Und Sie fahren sofort dahin, bevor die Presse da ist!"
„Aber können nicht erst einmal die Kollegen vor Ort ..."
„Specht, so kenne ich Sie gar nicht. Wo bleibt Ihr Engagement? Wir müssen den Wolpertinger nun endlich schnappen, uns läuft die

Zeit davon! Die Presse macht sich schon über uns lustig. Denken Sie an Ihre und bitte auch an meine Karriere!"

„Ist ja schon gut, Herr Huber, ich hatte nur heute ..., äh, ich fahre sofort hin."

„Ja, und nehmen Sie sich am besten ein Zimmer dort. Ich erwarte Ihren Anruf spätestens morgen Früh! Das ist ein Befehl!"

„Sehr freundlicher Ton", dachte sich Specht. Doch irgendwie konnte er ihn sogar verstehen. Er war mindestens genauso angespannt wie Huber, schaffte es dieser gemeine Dieb doch mittlerweile, sich sogar in sein Privatleben einzumischen. Und warum klaute das Phantom nur Schmuck und ließ sogar Bargeld im Safe zurück? Wieso hinterließ er am Tatort immer diese seltsamen Fellmonster? Handelte es sich um einen geistig verwirrten Menschen oder um einen überaus trickreichen Verbrecher? Fragen über Fragen.

ÜBUNG 18 !

Übung 18: Schreiben Sie die Sätze neu. Beginnen Sie mit den vorgegebenen Worten!

1. Er dachte wieder an seine Kollegin.

Erst auf der Salzburger Autobahn ______________________

2. Er konnte sich nicht einmal entschuldigen.

Vor morgen früh ______________________

3. Der Wolpertinger hatte in einem Nobelhotel zugeschlagen.

Dieses Mal ______________________

4. Es hatte sich schon ein kleiner Menschenauflauf gebildet.

In der Eingangshalle ______________________

Specht entwickelte eine richtige Wut im Bauch und hatte nur noch den Wunsch, endlich diesen Wolpertinger zu fassen. Erst auf der Salzburger Autobahn dachte er wieder an seine Kollegin. Das Abendessen mit Eva Hansen hatte er völlig verdrängt. Dabei fiel ihm jetzt ein, dass er keine private Telefonnummer von ihr hatte. Er konnte sich nicht einmal bei ihr entschuldigen. Aber er nahm sich vor, sie gleich am nächsten Morgen im Büro anzurufen. Und da sie wusste, wie dringlich dieser Fall war, hoffte er, dass sie ihn verstehen würde.

Übung 19: Entscheiden Sie im folgenden Absatz, ob die nummerierten Adjektive im Nominativ (N), Dativ (D) oder Akkusativ (A) stehen!

„Wow, Kaiserresidenz", pfiff Specht durch die Zähne. Dass er jemals in einem so 1. noblen ( ) Hotel nächtigen würde, hätte er sich nie träumen lassen. Wenige 2. luxuriöse ( ) Zimmer in 3. gehobenem ( ) Ambiente, 4. betuchte ( ) Gäste und 5. gepfefferte ( ) Preise – also nichts, was er sich persönlich hätte leisten können. In der Eingangshalle hatte sich schon ein 6. kleiner ( ) Menschenauflauf gebildet. Specht beschloss, sich zuerst auf den Hotelmanager zu konzentrieren. Die Gäste und Mitarbeiter wollte er sich danach vornehmen. Er bat darum, dass sich alle für ein mögliches Gespräch in ihren Zimmern zur Verfügung halten sollten. Ein 7. leichtes ( ) Murren ging durch die Menge. Nachdem sich das Gewühl gelichtet hatte, begann er mit der Befragung des Managers. Ein etwa vierzigjähriger Mann mit silbergrauem Haar und in einem 8. maßgeschneiderten ( ) Anzug stand vor ihm. Er wirkte ziemlich hochnäsig und eitel, wie Specht fand, als er das Outfit des Hotelmanagers mit seinem eigenen verglich. Er bevorzugte eher die wei-

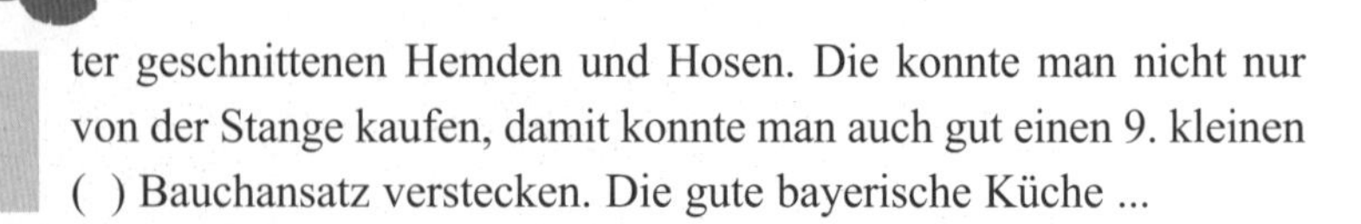

ter geschnittenen Hemden und Hosen. Die konnte man nicht nur von der Stange kaufen, damit konnte man auch gut einen 9. kleinen ( ) Bauchansatz verstecken. Die gute bayerische Küche ...

„Herr Friedrich, Sie sind also der Hotelmanager?"
„Ja, das ist richtig."
„Was genau ist denn hier passiert?"

ÜBUNG 20 !

Übung 20: Setzen Sie die Präpositionen in die Lücken! ***(mit, zur, bei, in, aus, im, bei)***

„Also ..., es war so. Ich saß in meinem Büro und kontrollierte die Abrechnungen unseres gestrigen Galadiners. Wissen Sie, gestern waren nämlich prominente Leute 1. ( ) Film, Funk und Fernsehen 2. ( ) uns. Wir hatten ein bombastisches zehngängiges Menü, beginnend 3. ( ) Hummerpastetchen, Ravioli mit schwarzem Trüffel, gefüllte Miesmuscheln und ..."
„Stopp", Specht verdrehte die Augen. „Ich will nicht wissen, was es gestern 4. ( ) Ihnen zu essen gab, sondern was hier gestohlen wurde. Also kommen Sie bitte 5. ( ) Sache."
„Ich kann Ihnen nur sagen, so etwas ist 6. ( ) unserem Hause noch nie passiert. Ich kann mir das alles überhaupt nicht erklären. Eigentlich hatten wir sogar Glück 7. ( ) Unglück, wenn man das bei dieser schrecklichen Tat überhaupt so sagen kann. Denn alle Gäste des Galadiners sind bereits gestern abgereist. Wir haben hier nämlich einen Ruf zu verlieren, der ..."
„Und gerade deshalb, Herr Friedrich, sollten wir nun auch ganz schnell zum Wesentlichen kommen", unterbrach Specht ihn gereizt.

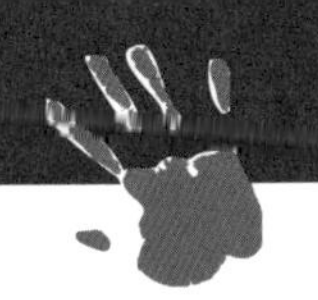

Übung 21: Unterstreichen Sie alle Verben im Präteritum!

Beleidigt sprach der Hotelmanager weiter: „Wissen Sie, abends ist es meistens ruhiger, da habe ich mehr Zeit, die Schreibarbeit zu erledigen. Als ich in meinem Büro saß, hörte ich Geräusche aus dem Nebenraum, in dem sich auch der Hotelsafe befindet. Ich stand auf und wollte nach dem Rechten schauen, doch meine Tür war verschlossen! Irgendjemand hatte mich eingeschlossen und ich hatte nichts bemerkt. Offensichtlich, weil ich längere Zeit telefoniert hatte. Ich musste erst den Pagen rufen, um mir von ihm die Tür aufsperren zu lassen. Tja, und dann ..., wenn Sie mir bitte folgen wollen, fand ich den geöffneten Safe und diesen futchtbar widerlichen Tierkadaver vor.“ Dabei verzog er angeekelt seinen Mund.

Kein neues Bild für Specht, denn auch hier baumelte ein kleiner Wolpertinger an der Safetür. Seltsam war nur, dass das Wolpertinger-Phantom bisher immer nur in reichen Privathäusern zugeschlagen hatte, aber noch nie in einem Hotel.
Specht versuchte den Hotelmanager zu beruhigen. „Keine Angst, das Ding ist aus Plüsch. Es handelt sich also keineswegs um einen Tierkadaver. Was wurde denn nun aus dem Safe entnommen?“
Herr Friedrich stockte: „Äh, ja, anfangs dachte ich natürlich, dass alles weg sei, Bargeld und auch die Wertgegenstände von unseren Gästen. Doch ich habe alles überprüft. Ich habe mir Handschuhe angezogen, wissen Sie, das habe ich in Kriminalfilmen gesehen und da ....“
„Was haben Sie?“, fragte Specht empört.
„Ja, und es ist nichts weg!“
„Wie bitte? Sie wollen mir doch nicht sagen, dass hier überhaupt nichts gestohlen wurde?“

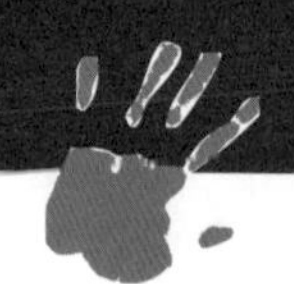

„Es mag unglaubwürdig klingen, aber es ist nichts weg. Ich schwöre es Ihnen. Wahrscheinlich dachte der Einbrecher, dass sich hier sehr viel mehr befände. Aber jeder Gast hat in seinem Zimmer zusätzlich noch seinen eigenen Safe. Wir hatten also, wie immer, relativ wenig Wertgegenstände von Gästen hier, und von denen sind noch alle da!"

ÜBUNG 22 !

Übung 22: Verbinden Sie die beiden Sätze mit den Konjunktionen!

1. Der Einbrecher hat nur Schmuck gestohlen. Es war auch Bargeld im Safe. (obwohl)

____

2. Der Direktor hatte alles überprüft. Er hatte nichts gefunden. (aber)

____

3. Er hatte nichts bemerkt. Er telefonierte mit seiner Frau. (weil)

____

4. Specht sagte nicht, was er dachte. Er beherrschte sich. (sondern)

____

Specht wollte gerade etwas erwidern, das ihm wahrscheinlich Leid getan hätte. Immerhin war er wegen nichts und wieder nichts zum Chiemsee herausgefahren. Denn diesen Tatbestand hätten nun wirklich auch die Kollegen vor Ort aufnehmen können. Doch auf der anderen Seite war hier unmissverständlich sein Erzfeind zugange: der Wolpertinger. Specht erschien es fast so, als sollte er hierher gelockt werden. Vielleicht schlug das Phantom gerade anderenorts zu ...

„Ich werde der Sache nachgehen“, reagierte Specht energisch. „Ich möchte Sie aber bitten, hier nichts mehr anzufassen, auch nicht mit Handschuhen, und das meine ich ernst! Morgen früh wird die Spurensicherung kommen und sich hier umschauen.“ Doch insgeheim dachte er sich, dass sie sinnlose Arbeit verrichten würden. Denn noch nie hatte der Wolpertinger an einem Tatort Spuren hinterlassen.

Mit dem Gästebuch unter dem Arm ging Specht über den Personalflur und trat in das Zimmer ein, in dem er übernachten würde. Es war klein, aber sehr sauber. Laut Herrn Friedrich waren alle Gästezimmer ausgebucht. Doch war es nicht diese Aussage, die er anhand des Gästebuches kontrollieren wollte, vielmehr wollte er sich einen Überblick darüber verschaffen, wer hier als Gast abgestiegen war.

ÜBUNG 23 !

Übung 23: Setzen Sie die Artikel ein und bilden Sie zusammengesetzte Wörter!

1. _____ Gäste _____ Buch ____________________
2. _____ Personal _____ Flur ____________________
3. _____ Hochzeit _____ Tag ____________________
4. _____ Abreise _____ Daten ____________________
5. _____ Luxus _____ Hotel ____________________
6. _____ Marter _____ Pfahl ____________________
7. _____ Wert _____ Gegenstand ____________________
8. _____ Spuren _____ Sicherung ____________________

Er bestellte sich noch telefonisch ein Weißbier auf sein Zimmer und fing mit der Arbeit an. Er schlug das Gästebuch auf und folgte jeder Zeile mit seinem Finger: Ms Mary Butterfield, Sydney, Australien; Herr und Frau Svobotna mit Tochter Ann-Marie, Wien, Österreich; Mr Chi Yang, New York, USA ... „Meine Güte“, dachte sich Specht, „der Laden hier ist ja richtig international.“ Er trank einen Schluck von seinem Weißbier und las weiter: Angelo Fellini, Florenz, Italien; Colette Maigret ... „Hahaha“, Specht amüsierte sich. „Das wird doch wohl nicht die Frau von Kommissar Maigret aus Frankreich sein.“ Erwin Wanninger, Poppi, Italien. Specht stockte der Atem. Er traute seinen Augen nicht. „Heiliger Strohsack, wenn das stimmt, werde ich nie wieder einen Schluck Weißbier zu mir nehmen“, sprach er leise vor sich hin.

ÜBUNG 24 !

Übung 24: Suchen Sie das schwarze Schaf!

1. Hotel, Pension, Gästehaus, Zelle
2. Österreich, USA, Italien, Spanien
3. Weißbier, Pils, Wein, Alt
4. Hessen, Bayern, Sachsen, Deutschland
5. Sekunde, Tag, Woche, Monat

Was um alles in der Welt machte sein ehemaliger Chef und Vorgänger Erwin Wanninger in solch einem Luxushotel? Er musste es aber sein, denn den lustigen Namen des Ortes in der Toskana – Poppi – hatte Specht nicht vergessen. Was machte Wanninger überhaupt in Bayern? Er schaute auf die An- und Abreisedaten. Wanninger hatte sich für drei Wochen einquartiert. Specht verstand die ganze Sache einfach nicht. Entweder war das alles ein riesiges Missverständnis und es handelte sich doch um einen ganz

anderen Wanninger, oder irgendjemand wollte ihn kräftig verschaukeln. Oder Erwin Wanninger war hierher eingeladen worden, vielleicht vom Freistaat Bayern für seine Verdienste, vielleicht hatte er auch ein Preisausschreiben gewonnen oder wurde von einer reichen Dame ausgehalten, die sich in ihn verliebt hatte. Doch Letzteres war ausgeschlossen, die Ehe der Wanningers hielt bereits seit über dreißig Jahren. Specht war sogar zum dreißigsten Hochzeitstag der beiden eingeladen gewesen, aber nicht hingegangen. Obwohl er beide eigentlich sehr gerne mochte, wäre ihm das dann doch zu familiär gewesen.
Mittlerweile war es 23.30 Uhr, heute konnte er ohnehin niemanden mehr vernehmen. Er wusste jetzt aber ganz genau, was das Erste war, das er am nächsten Morgen machen würde, nämlich seinen ehemaligen Kollegen aufsuchen.

Specht schlief schlecht. Seine Albträume quälten ihn: Er befand sich in einem dicht bewachsenen, dunklen Wald und wurde verfolgt. Er lief und lief, wollte den Wald schnell verlassen, doch es war kein Ende in Sicht. Es gab keine Lichtung und auch keinen Weg, der aus dem Dickicht hinausführte. Irgendwann fand er sich vor einer Schlucht wieder, die hunderte von Metern tief zu sein schien.

Übung 25: Setzen Sie vom Aktiv ins Passiv!

ÜBUNG 25 !

1. quälen ______________________
2. verfolgen ______________________
3. finden ______________________
4. hören ______________________

5. umknicken ______________________

6. hetzen ______________________

7. erschrecken ______________________

Der Verfolger, nein die Verfolger, waren immer noch da. Es hörte sich so an, als wäre eine ganze Armee von Soldaten hinter ihm her. Er hörte seltsame krachende Geräusche, die immer lauter wurden, und drehte sich um. Die Bäume wurden wie Grashalme umgeknickt. Dann sah er seine Verfolger. Es waren eigenartig aussehende Tiere, die näher und näher kamen, doch er konnte sich nicht bewegen, so sehr er sich auch bemühte. Die Umrisse der Tiere nahmen langsam Formen an. Manche hatte Geweihe auf dem Kopf, andere trugen spitze Hörner auf ihren Schädeln. Es gab sogar welche, die Flügel hatten. Das Gebiss der Tiere bestand aus dolchartigen Zähnen. Doch keines der Ungeheuer glich einem anderen. Sogar ihre Größe war unterschiedlich ausgeprägt: Manche waren taubengroß, andere hatten die Größe eines Elefanten – und alle blieben vor ihm stehen und starrten ihn an.

ÜBUNG 26 !

Übung 26: Setzen Sie ins Futur I!

1. quälen er ______________________

2. verfolgen wir ______________________

3. finden du ______________________

4. hören ich ______________________

5. umknicken sie ______________________

6. hetzen er ______________________

7. erschrecken ihr ______________________

Plötzlich war es windstill und nichts regte sich mehr. Specht stand hilflos da, wie an einen Marterpfahl gefesselt. Er war unfähig sich zu bewegen und damit völlig wehrlos. Doch die Tiere taten ihm nichts. Sie schauten ihn nur nach wie vor an. Plötzlich sprang ein Mann aus dem Dickicht. Die Tiere wichen respektvoll zur Seite. Sie schienen diesem Fremden zu gehorchen. Er musste es gewesen sein, der die Fabelwesen auf den Inspektor gehetzt hatte.

Specht riss erschrocken die Augen auf. Der Mann, der jetzt vor ihm stand, hatte kein Gesicht! Aber auch ohne einen Mund zu haben, stieß er ein höhnisches Lachen aus. Ein schrilles, lautes Lachen ...

In diesem Augenblick wachte Specht schweißgebadet auf. Er war erschrocken und wütend auf sich selbst. „Wenn ich dieses gesichtslose Wolpertinger-Phantom nicht bald schnappe, werde ich noch im Irrenhaus in einer Gummizelle enden", murmelte er vor sich hin.

Übung 27: Drücken Sie die Sätze mithilfe der Wörter in Klammern höflicher aus!

1. Ich will Frühstück aufs Zimmer! (haben, gerne)

____

2. Ich will telefonieren! (werden, gerne)

____

3. Helfen Sie mir! (können, bitte)

____

4. Kann ich noch ein bisschen haben? (können, davon)

____

„Zimmerservice, was kann ich für Sie tun?“, fragte eine überaus freundliche männliche Stimme.
„Ich würde gerne frühstücken und zwar auf meinem Zimmer“, bat Specht.
„Sehr gerne, mein Herr, was darf es denn sein: Continental Breakfast, American Breakfast oder ...“.
Specht ließ ihn erst gar nicht zu Ende sprechen. „Äh, tja, könnte ich auch nur Kaffee, etwas Wurst, Käse, ein hart gekochtes Ei und ein paar Scheiben Brot haben?“
„Also Continental Frühstück, aber natürlich, mein Herr.“
„Na, von mir aus“, dachte Specht, „wenn nur alles dabei ist, was ich bestellt habe.“

ÜBUNG 28 !

Übung 28: Setzen Sie die Wörter ein! ***(Bademantel, Glück, Antworten, Internetanschluss, Rezeption, Gast, Sauna, Tätowierungen, Hotel, Alters)***

Während er kurze Zeit später sein Frühstück einnahm, plante er seinen Tag. Zunächst rief er an der 1. ________ an und verlangte den Hotelmanager, Herrn Friedrich.

„Sicherlich gibt es doch auf jedem Zimmer ein Telefon?“

„Aber natürlich, was denken Sie denn? Wir haben auch in jedem

Zimmer einen Computer mit 2. ________."

„Na toll", antwortete Specht, „dann geben Sie mir doch mal die Telefonnummer von Herrn Wanninger."

„Aber natürlich, Herr Specht, Telefonnummer 121, Zimmer 21."

„Danke, die Zimmernummer habe ich bereits gestern Ihrem Gästebuch entnommen."

„Sie werden aber leider kein 3. ________ haben, denn Herr Wanninger ist bereits sehr früh in unseren Wellnessbereich gegangen. Wo genau er sich dort gerade befindet, kann ich Ihnen leider nicht sagen. Wir haben eine Finnische 4. ________, eine Russische Sauna oder eine Biosauna, einen großzügigen Massagebereich, ein Yoga- und Anti-Aging-Center, ein Schwimmbecken und ..."

„So wie der hier versucht, sein 5. ________ an den Mann zu bringen, könnte er morgen glatt auf dem Viktualienmarkt arbeiten", dachte sich Specht. „Stopp, Herr Friedrich, wie Sie wissen, bin ich hier kein 6. ________, sondern habe einen Fall aufzuklären. Also, ich werde mich dann mal in den Wellnessbereich begeben."

Mit einem 7. ________ und Schlappen bewaffnet, erkundete er den Wellnessbereich. Im Schwimmbecken befanden sich gerade zwei Damen mittleren 8. ________. Der Bademeister, Herr Meier, warf ab und zu einen Blick zu den beiden hinüber, während er

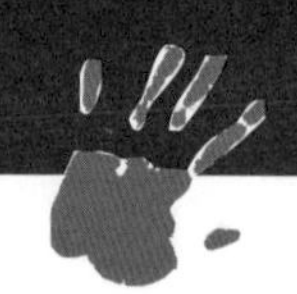

Spechts Fragen beantwortete.

„Ist Herr Wanninger jeden Tag hier?“

„Das weiß ich nicht“, sagte Meier. „Ziemlich häufig auf jeden Fall.“

„Könnten Sie bitte versuchen, mir präzisere 9. ________ zu geben! Wo waren Sie eigentlich gestern zwischen 19.00 und 20.00 Uhr?“

„Wieso?“, fragte Meier zurück und krempelte die Ärmel seines weißen T-Shirts hoch. Dabei kamen seine muskulösen Oberarme samt bunter 10. ________ zum Vorschein.

Specht schluckte eine schärfere Zurechtweisung hinunter und sagte in beherrschtem Ton: „Ich bin derjenige, der die Fragen stellt. Sie sind der, der sie beantwortet.“
„Auf meiner Bude – Appartement, wie Sie hier dazu sagen. Ab 18.00 Uhr war eine gute Freundin bei mir. Aber bitte verraten Sie mich nicht. Es ist ausdrücklich verboten, jemanden auf das Zimmer mitzunehmen.“
Mit den Worten: „Das lässt sich dann ja leicht nachprüfen, schreiben Sie mir die Adresse Ihrer Freundin auf“, drehte sich Specht um und ging in Richtung Gymnastikraum.

Die Gymnastikgruppe bestand aus zum Teil sehr übergewichtigen Personen in Sportkleidung. Schon ihrer Kleidung konnte man ansehen, dass es sich bei den Gästen der Kaiserresidenz nicht um arme Leute handeln konnte: Sie zeigten offenbar in jeder Lebens-

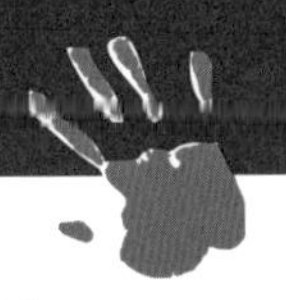

lage gerne, was sie sich leisten konnten. „Im Grunde eine Riesenverschwendung", dachte Specht. „Wieso kaufen sich diese Damen und Herren solch teure Markenkleidung, wenn sie ohnehin das Ziel haben, die Sachen möglichst bald ein paar Nummern kleiner nachkaufen zu können?"

Übung 29: Ergänzen Sie die Artikel und setzen Sie die Substantive in den Genitiv!

ÜBUNG 29 !

1. _____ Verschwendung _______________

2. _____ Teil _______________

3. _____ Gäste _______________

4. _____ Wort _______________

5. _____ Richtung _______________

6. _____ Gymnastik _______________

7. _____ Specht _______________

8. _____ Leute _______________

Die Bewegungen der Gymnastiklehrerin, die den Leuten die Übungen vormachte, waren grazil und elegant. Die Gäste, die sie ihr nachmachten, wirkten weit weniger überzeugend. Specht hatte große Mühe, sich seine Belustigung nicht anmerken zu lassen.
Vom Gymnastikbereich ging er in die Saunaabteilung, die völlig leer war, und von dort aus in den Schönheitsbereich. Hier erhielt gerade eine Dame eine Gesichtsmassage von einer freundlich aussehenden Kosmetikerin. Wanninger war nirgends zu finden. Viel-

leicht hatte er mitgekriegt, dass Specht im Hotel war, und wollte ihn aus unerklärlichen Gründen nicht sehen. Unbemerkt abreisen konnte er nicht, denn Specht hatte den Hotelmanager gebeten, ihn umgehend zu informieren, wenn ein Gast überstürzt abreisen wollte.

ÜBUNG 30 !

Übung 30: Unterstreichen Sie die passende Alternative!

1. Diese Worte kamen erstaunt und/oder erfreut zugleich über seine Lippen.
2. Die Hotelgäste machten Gymnastik, zumal/weil sie abnehmen wollten.
3. Die Kollegen aus München wurden eingeschaltet, da/nachdem es so ein wichtiger Fall war.
4. Specht holte seine Sekretärin nicht ab, trotzdem/obwohl er mit ihr verabredet war.

Er machte sich auf den Weg in sein Zimmer oder, wie der Bademeister zu sagen pflegte, in seine Bude. Nicht gerade die passende Bezeichnung für Räumlichkeiten in so einem Luxushaus. Er wollte sich schnell seiner Badekleidung entledigen und sich anziehen.
Wenig später stand er schon im Foyer und suchte sich eine ruhige Sitzecke, in die er sich zurückziehen konnte, um mit seinem Chef zu telefonieren. Und auch – das fiel ihm nun siedendheiß ein – mit seiner Sekretärin, die er gestern versetzt hatte. „Wobei, wer weiß schon, wozu es gut war?“, dachte sich Specht. „Nun habe ich zumindest meine Prinzipien nicht verletzt.“ Da hörte er hinter sich ein lautes Rufen.
„Hallo Paul ..., Paul Specht ...“

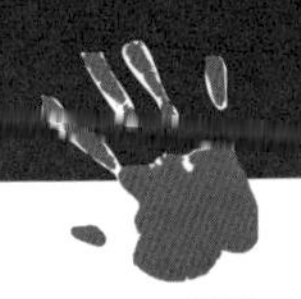

Übung 31: Setzen Sie die Personalpronomen ein! ***(wir, uns, mich, ihm, er, du, dich, dir)***

Specht drehte sich um. Hinter 1. _____ stand ein braun gebrannter, sehr erholt aussehender, gepflegter, älterer Herr.

„Nein, 2. _____ bist es wirklich! Erwin Wanninger!“, diese Worte kamen erstaunt und erfreut zugleich über seine Lippen. Wobei Specht im zweiten Moment nicht wusste, ob 3. _____ sich wirklich freuen sollte.

„Mensch, Paul, wie geht es 4. _____? Ich habe gerade vom Hotelmanager gehört, dass die Münchner Kriminalpolizei hier sei, und auch, dass 5. _____ Herr Kommissar Specht im Haus suchen würde. Früher durften 6. _____ keine Weltreisen unternehmen. Da wurden noch die Kollegen vor Ort eingeschaltet. Muss ja ein wichtiger Fall für die Münchner Kripo sein, der 7. _____ hierher führt – und dann noch mit Unterkunft in so einem noblen Hotel.“ Wanninger schmunzelte. „Komm Paul, lass 8. _____ was trinken.“

Specht schaute irritiert.
„Ja, ja, ich weiß, du bist im Dienst. Ich dachte da mehr an eine Tasse Kaffee oder Tee. In meinem Alter ist Tee sowieso das gesündeste. Nun komm schon! Lass uns dort hinten in die Ecke gehen, von da aus hat man einen herrlichen Blick auf den Chiemsee.“
Die beiden setzten sich in die bequemen braunen Sessel. Die Ein-

richtung im Foyer war im Kolonialstil gehalten und passte nach Spechts Meinung nicht zur restlichen Ausstattung des Hotels. Hätte er hier etwas zu sagen, würde er alles ein wenig rustikaler, eben bayerischer, einrichten.

ÜBUNG 32 !

Übung 32: Finden Sie in dem folgenden Absatz sechs falsche Zeitformen und korrigieren Sie!

	falsch	richtig
1.	______________	______________
2.	______________	______________
3.	______________	______________
4.	______________	______________
5.	______________	______________
6.	______________	______________

Specht fing sich langsam wieder. Er war, was für seine Verhältnisse nur selten vorkommt, fast sprachlos gewesen, als ihm sein Kollege plötzlich leibhaftig gegenüber gestanden hatte. Früher, als Wanninger noch im Dienst gewesen ist, hatte er unscheinbar und grau gewirkt und oft einen ziemlich gestressten Eindruck gemacht. Heute dagegen ist er wie ausgewechselt und wirkte um Jahre jünger – als hätte er eine Verjüngungskur gemacht.
„Erwin, ich hätte dich fast nicht wieder erkannt. Gut sahst du aus. Was machst du denn hier so ganz allein? Du warst doch allein, oder? Und vor allem, wie kannst du dir so ein Hotel leisten? Hatte ich da irgendetwas versäumt?“

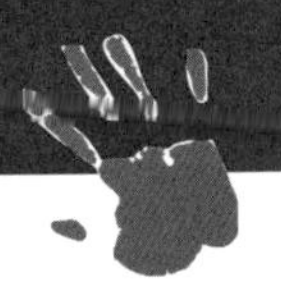

„Danke für das Kompliment. Mir geht es wirklich sehr gut! Ich genieße meinen Ruhestand. Warum hast du uns eigentlich noch nie in der Toskana besucht?“
„Die Zeit, du weißt ja. Ein Kommissar ist immer im Dienst. Vielleicht im nächsten Urlaub.“
„Wir würden uns freuen.“

Übung 33: Setzen Sie die Pronomen ein!

ÜBUNG 33 !

1. Ich bin ohne (mein) __________ Frau hier.
2. Specht war ihm dankbar für (sein) __________ Rat.
3. Meine Frau kurt unweit (unser) __________ Hotels.
4. In der Toskana kannst du in (unser) __________ Haus wohnen.
5. In Schottland ist es zu kalt für (mein) __________ Agathe mit (ihr) __________ Rheuma.
6. Mein Zimmer liegt genau unterhalb (dein) __________ Zimmers.

„Ich möchte aber noch mal auf meine Fragen zurückkommen ...“
„Ja, ja, Herr Kommissar, ich habe sie nicht vergessen. Also, zu deiner ersten Frage: Ja, ich bin allein hier. Das heißt, meine Frau ist etwa fünf Kilometer von hier entfernt. Sie macht gerade eine Kur wegen ihres Rheumas. Da dachte ich, du weißt ja, wir beide sind unzertrennlich, ich begleite sie. Die Hotels im Ort sind aber leider über Monate ausgebucht. Ich hatte Glück, hier noch ein Zimmer zu bekommen. Das Hotel gefällt mir, es ist zwar ein wenig überteuert, aber ein bisschen Luxus tut ja auch mal ganz gut. Und bis auf

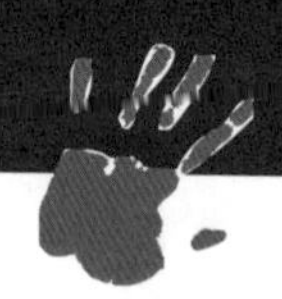

den Tatbestand, dass mir meine Agathe fehlt, obwohl sie nicht weit weg ist, fühle ich mich sehr wohl hier. Schönes Hotel."

„Das beantwortet meine erste Frage. Und wie sieht es mit der zweiten aus?"

„Du wärst nicht mein Nachfolger, würdest du locker lassen. Doch die zweite Frage möchte ich, auch wenn dir das jetzt nicht gefällt, unbeantwortet lassen. Oder lass mich so viel dazu sagen, ich habe finanziell ausgesorgt, und da ich mir mein ganzes Leben nichts gegönnt habe, leiste ich mir jetzt Dinge, die mir Spaß machen."

„Dass dir das ausgezeichnet bekommt, sieht man. Doch eine befriedigende Antwort ist das nicht für mich."

„Auch dies, lieber Paul, habe ich erwartet. Du bist immerhin mein Assistent gewesen. Und ich bin stolz, dass ich es miterleben konnte, wie du mein Nachfolger wurdest."

„Ja, und dafür danke ich dir auch sehr, das weißt du", erwiderte Specht etwas verlegen.

ÜBUNG 34 !

Übung 34: Setzen Sie die Verben ein und achten Sie auf die Stellung im Satz!

1. Der Wolpertinger von dem Dieb an den Safe. (ist gehängt worden)

____

2. Wanninger von Specht. (wurde verhört)

____

3. Specht vermutlich noch viel Arbeit. (würde haben)

____

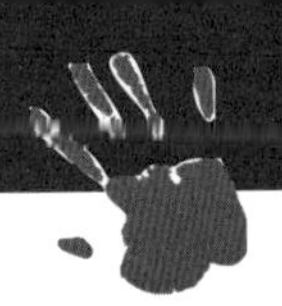

4. Der Schmuck wohl nicht von einem Wolpertinger. (wird gestohlen worden sein)

____

5. Sein Chef die vielen Fragen, die Specht ihm gestellt hatte, unbeantwortet. (hatte gelassen)

____

„Was macht denn eigentlich der Franz Xaver, der müsste doch auch bald in Rente gehen?"
„Bis zur Rente sind es noch einige Jahre", antwortete Specht, wobei er dachte: „Leider".
„Und wie geht es ihm?"
„Ich denke, Herrn Huber geht es gut. Das heißt ..."
„Das heißt ...?"
„Es würde ihm besser gehen, wenn wir endlich diesen lästigen Fall geklärt hätten."
„Ha, ich lebe zwar in Italien, doch manchmal – wie jetzt auch – zieht es mich in die gute, alte Heimat nach Bayern zurück. Ich denke, das muss auch so sein. Heimat ist eben Heimat. Und ich verfolge die deutsche Presse! Du sprichst bestimmt gerade von den verrückten Wolpertinger-Diebstählen!"
„Ja, das tue ich."
„Und was treibt dich in dieses Hotel?"
„Erwin Wanninger, als ob du das nicht schon wüsstest."
Wanninger lachte amüsiert. „Ja, ja, natürlich weiß ich schon davon. Der Wolpertinger hat euch geärgert und den Hotelsafe aufgebrochen, aber nichts entwendet. April, April."
„Darüber kann ich gar nicht lachen. Verschaukeln kann ich mich auch selber, und zwar besser."

„Weißt du, die Geschichte des Wolpertingers, oder sollte ich sagen, des bayerischen Ungeheuers, musste ich immer meinen beiden Enkeln Maxi und Thomas erzählen. Jedes Mal musste ich mir etwas Neues ausdenken. Und immer ließ ich das Ungeheuer anders aussehen. Einmal hatte es ein Geweih auf dem Kopf, ein anderes Mal Flügel, hin und wieder hatte es schwarzes Fell und dann wieder braunes. Der Wolpertinger gehört zu Bayern wie Nessie zum Loch Ness beziehungsweise zu Schottland. So hat jedes Land sein Ungeheuer, seine Attraktionen und Geschichten."
„Ja, aber Nessie hat noch nie einen Safe aufgebrochen und Juwelen geklaut."
„Da muss ich dir Recht geben, wobei ich noch nicht in Schottland war. Zu kalt für meine Agathe und ihr Rheuma."

ÜBUNG 35 !

Übung 35: Setzen Sie das Relativpronomen ein!

1. Nessie ist ein Ungeheuer, _____ in Schottland zu finden ist.
2. Specht hing an seiner Heimat, _____ er am liebsten nie verließ.
3. Die Antwort, _____ Erwin ihm gab, fand er nicht befriedigend.
4. Das Hotel, in _____ er wohnte, war ziemlich luxuriös.
5. Der Kommissar, _____ aus Bayern war, trank am liebsten bayerisches Weißbier.
6. Die Verdächtigen, mit _____ er sprechen musste, logen oft.

„Erwin, Spaß beiseite und lenk jetzt bitte nicht wieder ab. Sei mal ehrlich. Wie finanzierst du dein neues kostspieliges Leben?"
„Darauf habe ich dir schon eine Antwort gegeben."

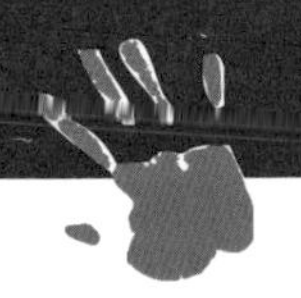

„Also gut, eine neue Frage: Was hast du gestern zwischen 19.00 und 20.00 Uhr gemacht?"
„Aber Paul, verdächtigst du mich etwa?", Wanninger legte eine kurze Pause ein, bevor er weiter sprach: „Ich war im Wald und habe nach dem Wolpertinger gesucht! Hahaha ..."
„Ich frage dich jetzt ein letztes Mal: Wo warst du gestern zwischen 19.00 und 20.00 Uhr?"
„Und ich sage dir, ich bin spazieren gegangen. Gegen 18.30 Uhr habe ich mich von meiner Agathe verabschiedet. Du musst wissen, ab 19.00 Uhr ist in so einem Kurbetrieb Ruhe angesagt. Dann bin ich am See entlang gegangen. Es war eine wunderschöne Nacht. Die Luft war sauber, es war ein wenig frisch und der Himmel sternenklar. In meinem Alter schätzt man die Natur wieder. Und hier ist sie wirklich traumhaft schön: die Berge und der Chiemsee mit seinen idyllischen Inseln Frauenchiemsee und Herrenchiemsee. Nicht zu vergessen die Klöster in der Gegend, zum Beispiel Seeon. Und wusstest du, dass die romanischen Fresken im 1200 Jahre alten Kloster auf Frauenchiemsee zu den bedeutendsten Kunstschätzen Europas zählen ..."

Übung 36: Bitte ergänzen Sie ***dass*** *oder* ***das****!*

1. Wussten Sie, _____ Wanningers Frau Rheuma hat?

2. Glauben Sie, _____ der Wolpertinger und Nessie existieren?

3. Specht fand heraus, _____ Wanninger kein Alibi hatte.

4. Das neue Leben, _____ Wanninger führte, war ziemlich teuer.

5. Ich denke, _____ muss so sein.

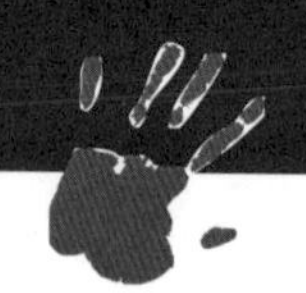

„Nein, Herr Fremdenführer! Du hast also kein Alibi." Specht unterbrach ihn, denn ansonsten hätte Wanninger wahrscheinlich noch Stunden weitererzählt.
„Wofür brauche ich eigentlich ein Alibi, es ist doch gar nichts passiert. Außer, dass in diesem Hotel ein Safe offen stand und sich jemand den Spaß erlaubt hat, ein kleines Ungeheuer aus Plüsch an die Tür zu hängen."
„Ich denke, wir sollten unser Gespräch an dieser Stelle abbrechen. Sollte dir noch etwas zu diesem Vorfall einfallen ..." Er stand auf und ging. Dabei drehte er sich noch einmal um und bemerkte: „Ach ja, und halte dich bitte zur Verfügung, du weißt ja, was das heißt!"
„Ja, ja, ich weiß, was das heißt", lächelte Wanninger leicht amüsiert.

„Hilfe! Hilfe ..."
„Gnädige Frau Gräfin von Dehm, nun beruhigen Sie sich doch! Es wird sicherlich gleich alles aufgeklärt werden. Wie Sie wissen, stehen wir Ihnen jederzeit zu Diensten. Wir haben sogar die Kriminalpolizei aus München in unserem Hause!" Herr Friedrich ging in seiner Rolle als Hotelmanager völlig auf.

ÜBUNG 37 !

Übung 37: ***Sie*** *oder* ***sie****? Ergänzen Sie!*

1. Bitte sagen _____ einfach nur Gräfin zu mir.

2. Haben _____ _____ schon gesehen?

3. Die Kette ist ein Geschenk meines zweiten Mannes. Ich liebe _____ sehr.

4. Der Chef wollte wissen, wann _____ ins Präsidium zurückkommen.

5. Glauben _____, dass Specht den Täter finden wird?

Paul Specht wurde im Foyer ausgerufen. Er war eigentlich gerade dabei, in sein Zimmer zu gehen, um endlich in Ruhe telefonieren zu können. Er dachte noch darüber nach, welch seltsames Gespräch er mit Erwin Wanninger geführt hatte und warum dieser die Frage nach seinen Finanzen nicht beantworten wollte. So sehr sich Specht auch bemühte, den Gedanken zu unterdrücken, er konnte nichts dagegen tun: Langsam entwickelte er den Verdacht, das Wanninger irgendetwas mit der ganzen Sache zu tun hatte.

„Gnädige Frau Gräfin von Dehm, äh ..."
„Ach du meine Güte, junger Mann, lassen Sie diese Floskeln, sagen Sie einfach nur Frau von Dehm zu mir. Helfen Sie mir lieber. Ich bin außer mir!"

ÜBUNG 38 !

Übung 38: Setzen Sie den Artikel ein und bilden Sie den Plural!

1. _____ Amsel ________________
2. _____ Vogel ________________
3. _____ Figur ________________
4. _____ Frage ________________
5. _____ Verbrechen ________________
6. _____ Manager ________________
7. _____ Foyer ________________

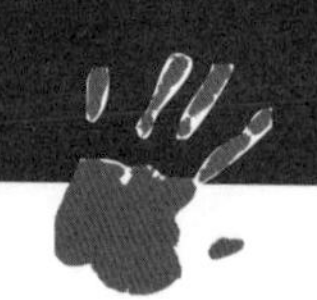

„Das würde ich ja gerne machen, nur vorher müsste ich wissen, was überhaupt passiert ist."
„Herr Vogel, nein Amsel, wie heißen Sie noch gleich, junger Mann?"
„Specht, gnädige ..., Gräfin ..., äh ..., Frau von Dehm, Kommissar Specht, Kripo München."
„Also gut, Herr Specht ... Ich wurde beraubt. Meine Juwelen und meine Lieblingskette, die mir mein zweiter Mann einst schenkte, Gott hab ihn selig, sind verschwunden. Auch mein mit Rubinen besetzter Ring ist weg, den habe ich von meinem dritten Mann, dem Grafen Gregor von Dehm, bekommen. Weg, weg, alles weg!"
„So beruhigen Sie sich doch, Frau von Dehm. Wo haben Sie den Schmuck denn aufbewahrt?"
„Natürlich im Safe, junger Mann. Wie ich das hier immer mache, und es ist noch nie etwas passiert."
„Sie müssen wissen, die gnädige Frau Gräfin von Dehm ist schon seit Jahren ein gerne gesehener Gast des Hauses. Hier ist noch nie etwas gestohlen worden, das kann ich nur bestätigen, und ich arbeite schon seit Jahren hier. Bitte, gnädige Frau Gräfin von Dehm, bitte erzählen Sie das nicht gleich den anderen Gästen. Unser Name ...", mischte sich Herr Friedrich ein.

ÜBUNG 39 !

Übung 39: Unterstreichen Sie acht Fehler und korrigieren Sie!

„Und sehen Sie, was hier an der Ankleide hängt: eine vergammelte Katze. Ich meine eine tote Katze. Es ist alles so eklig."
„Nein, nein, so beruhigen Sie sich doch. Das ist nichts weiter als eine Plüschfigur, die den Wolpertinger darstellen soll, ein bayerischen Fabelwesen. Das ist sozusagen das Markenzeichen des Täters."
„Sie wissen, wer der Täter ist? Junge Mann, wenn Sie mir den

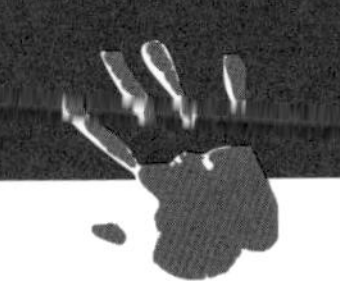

Schmuck wieder zurückbringt, werde ich Ihnen eine Belohung zahlen, über die Sie sich freuen werden!"

„Frau von Dehm, ich fühle mir geehrt. Aber es ist mein Beruf, Verbrechen aufzuklären. Außerdem darf ich Belohnungen gar nicht annehmen."

„Wann können Sie mir meinen Schmuck zurückbringen?"

„Na ja, so schnell wird dass wohl nicht gehen."

„Aber ..., aber Sie sagten doch, dass Sie den Täter kennen. Dann brauchen Sie ihn doch nur noch die Beute wegzunehmen!"

„So einfach ist das leider nicht. Ich verspreche Ihnen aber, ich werde mein Bestes tun. Wann haben sie den Diebstahl eigentlich bemerkt?"

„Als ich von meiner Gymnastikstunde zurück ins Zimmer kam, etwa vor zehn Minuten."

Übung 40: Setzen Sie die Verben an der richtigen Stelle ein! ***(setzte, musste, rief, verkaufte, dachte, war, hatte, sollte)***

Specht 1. ________ an den Gymnastikraum und 2. ________ ein wenig schmunzeln. Denn gnädige Frau von und zu hatte die Figur eines Buddhas, dazu ein lustiges rundes Gesicht mit strahlend blauen Augen.

Spontan dachte er wieder an Wanninger, genau zu dieser Zeit 3. ________ er ihn im Wellnessbereich gesucht.

Nachdem er sich verabschiedet hatte, 4. ________ Specht endlich im Büro an. Die Gespräche, die ihn erwarteten, waren leider alles andere als erfreulich. Sein Chef 5. ________ völlig außer sich, als

er erzählte, was sich im Hotel bisher zugetragen hatte. Er 6. ________ ihm die Pistole auf die Brust: „Wenn Sie mir diesen gemeinen Dieb nicht innerhalb von zehn Tagen zur Strecke bringen, können Sie wieder Streife fahren." Eine klare Aussage, doch was 7. ________ er machen? Kein Mensch, auch nicht sein Chef, hatte bisher diesen mysteriösen Wolpertinger fangen können. Er hinterließ keine Spuren und 8. ________ seine Beute wahrscheinlich im Ausland. Denn bisher war kein einziges Stück seines Diebesguts wieder aufgetaucht.

Dann war da noch seine schicke, norddeutsche Kollegin. Auch bei ihr rief er an. Er wollte sich entschuldigen. Doch sie war sehr wortkarg und sprach nur das Nötigste: „Guten Tag, Herr Specht, im Büro ist nichts Weiteres angefallen. Herr Huber hat etliche Male erbost hier nachgefragt, ob Sie schon angerufen haben. Sie hätten sich schon um 10.00 Uhr bei ihm melden sollen", sagte sie vorwurfsvoll. „Alles andere läuft seinen gewohnten Gang. Ich werde den Rest der Berichte schreiben, die auf meinem Tisch liegen, und die Akten anfordern, so wie Sie es mir aufgetragen haben. Ich wünsche Ihnen noch einen schönen Tag und viel Erfolg. Ach ja, noch eine Frage, wenn Sie erlauben, würde ich heute gerne eine Stunde früher nach Hause gehen. Ich habe da noch ein paar private, unaufschiebbare Dinge zu erledigen."
„Ja, klar, kein Problem. Überstunden haben Sie ja genügend." Er wollte gerade ansetzen und noch etwas sagen ...
„Vielen Dank, Herr Specht, wir sehen uns dann." Aber sie ließ ihn gar nicht mehr zu Wort kommen. Die Möglichkeit, sich bei ihr zu

entschuldigen, hatte er nun verpasst. „Typisch Frau“, dachte er. „Immer das Gleiche. Wenn die so weitermacht, kann sie bald zur Poststelle wechseln ...“ Doch das war nur ein gehässiger Gedanke. Nie würde er seine Macht in dieser Beziehung ausnützen, und sein Chef hoffentlich auch nicht.

Übung 41: Setzen Sie das Fragepronomen ein!

1. __________ verhörte Specht?

2. __________ wurde der Gräfin gestohlen?

3. Mit __________ telefonierte Specht?

4. __________ Schmuck wurde geraubt?

5. __________ war Specht gegangen?

6. __________ wollte er sich bei seiner Kollegin entschuldigen?

Am späten Nachmittag fühlte sich Specht wie gerädert. Er hatte nun vom Dienstmädchen über den Masseur bis hin zum Küchenpersonal alle Angestellten des Hauses befragt. Alle hatten ein Alibi, auch die Freundin des Bademeisters hatte dessen Aussage bestätigt. Und auch von den Gästen konnten die meisten auf einen redlichen Aufenthaltsort samt Zeugen verweisen. Nur wenige ältere Herrschaften hatten ausgesagt, dass sie sich nach Spaziergängen oder Aufenthalten im Wellnessbereich allein in ihre Zimmer zurückgezogen hätten, um sich zu erholen oder frisch zu machen. Er hatte niemanden unter Verdacht. Es musste also jemand von draußen ... Specht hatte diesen Gedanken noch nicht zu Ende gedacht, da kam ihm wieder Wanninger in den Sinn.

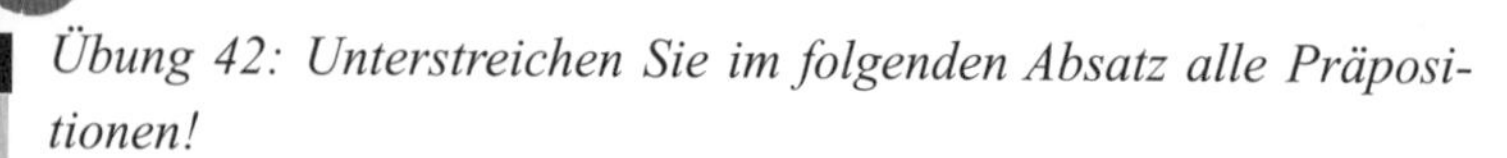

ÜBUNG 42 !

Übung 42: Unterstreichen Sie im folgenden Absatz alle Präpositionen!

Von dem Hotelmanager wusste er, dass Wanninger jeden Tag zur selben Zeit das Hotel verließ und auch zur selben Zeit wiederkam. Wahrscheinlich war er auch gerade wieder zu Besuch bei seiner Agathe. Specht fühlte sich nicht gut dabei, doch er ließ sich vom Zimmermädchen Wanningers Zimmer aufsperren. Er betrat den Raum und ging zunächst in das Badezimmer. Ein großzügiger Whirlpool stand in der Ecke, alles war mit römischen Mosaikfliesen ausgestattet. „Würde auch in meine Wohnung passen", stellte Specht fest. Auf dem weißen Waschtisch lag ein schwarzer Kulturbeutel aus Leder, daneben eine elektrische Zahnbürste, eine Haarbürste, ein Nassrasierer, Rasierschaum und ein Parfüm in einem schön geformten Flakon. An einem Haken hing ein weißer Bademantel. Er drehte sich um, ging zum Schrank und öffnete ihn. Eine schwarze Reisetasche aus Leder stand darin. Graue und schwarze Anzüge, eine braune Wolljacke und Hemden mit den Initialen EW hingen fein säuberlich an der Kleiderstange. „Maßgeschneidert", murmelte Specht vor sich hin. „Was habe ich nur falsch gemacht in meinem Leben?"

ÜBUNG 43 !

Übung 43: Setzen Sie den Artikel im richtigen Fall ein!

1. In _____ Ecke stand ein Whirlpool.
2. Specht stellte die Tasche auf _____ Tisch.
3. In _____ Safe lag noch das gesamte Bargeld.
4. Er nahm es erst heraus, legte es dann aber in _____ Safe zurück.

5. Die beiden Männer setzten sich zur Besprechung an _____ Tisch.
6. Die meisten Gäste saßen in _____ Hotelhalle.
7. Der Täter hatte einen Wolpertinger an _____ Safetür gehängt.
8. Der Bademantel hing an _____ Haken.

Er nahm die Reisetasche, stellte sie auf den kleinen Beistelltisch neben dem Bett und öffnete sie. Eine mit weiß-blauen Rauten gemusterte Plastiktüte lag darin. Als er hineinschaute, traute er seinen Augen nicht: Zwei Plüsch-Wolpertinger lachten ihn an! Wanninger hatte sie offensichtlich in einem Laden in Prien gekauft, denn auf der Plastiktüte befand sich ein Firmenaufdruck. Specht hörte sein Herz laut klopfen. Unter der Tüte lagen mindestens zehn Kriminalromane, die den Boden der Tasche bedeckten. In der rechten Seite steckte ein DIN-A4-Ringbuch. Neugierig nahm er es heraus und schlug es auf: *Wolpertinger schlägt wieder zu – Polizei ist hilflos; Bayern fürchtet den Wolpertinger; Wolpertinger hält Polizei in Atem* ... Eine ganze Sammlung ausgeschnittener Zeitungsmeldungen lag vor ihm auf dem Tisch. Specht lief ein kalter Schauer über den Rücken. Was um alles in der Welt hatte das zu bedeuten? Hatte Wanninger etwas mit diesem Fall zu tun? Oder sollte das alles nur Zufall sein? Vielleicht interessierte sich Wanninger auch als alter Kriminalist für den Fall. Und auch die Frage, warum er sich diesen Luxus leisten konnte, war noch nicht geklärt.

Er grübelte noch, da ging plötzlich die Tür auf und Wanninger trat in den Raum. „Paul, was machst du im meinem Zimmer?", fragte er ärgerlich.

Specht war fassungslos. „Erwin, sag mir bitte die Wahrheit, was

hast du mit diesem Fall zu tun?“ Er hielt ihm die Plastiktüte und das Ringbuch entgegen.
„Nichts, absolut nichts. Der Fall interessiert mich einfach.“
„Und was ist mit diesen Plüschfiguren?“
„Ein kleines Mitbringsel für meine Nachbarn in der Toskana. Ich habe nämlich schon viel über Bayern erzählt, und dazu gehört natürlich auch die sagenumwobene Geschichte des Wolpertingers.“
„Aha“, erwiderte Specht ungläubig. „Hast du auch einen Safe hier im Zimmer?“
„Ja, natürlich.“
„Dann sperr ihn bitte auf.“
„Wenn es dich beruhigt, gerne.“ Er ging zum Safe, der sich in einer Kommode zwischen dem Schrank und der Minibar befand, und öffnete ihn. „Bitte schön, bedien dich selber.“

ÜBUNG 44 !

Übung 44: Setzen Sie die Positionsverben im Präteritum ein!
(hängen, sitzen, setzen, stehen, stellen, hängen, liegen, legen)

1. Das Bild ________ an der Wand.

2. Wanninger ________ plötzlich im Zimmer.

3. Er ________ sich vor den Safe.

4. Specht ________ die Zeitungsausschnitte in die Tüte zurück.

5. Vor lauter Schreck ________ er sich erstmal.

6. Das Zimmermädchen ____ saubere Handtücher auf die Stangen.

7. Im Safe ________ auch eine blaue Schatulle.

8. Während des Gesprächs ________ sie lieber.

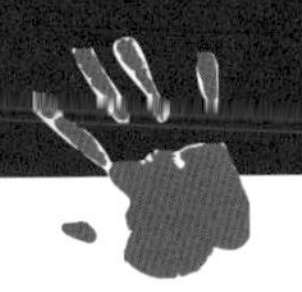

Specht ging zum Safe und durchsuchte ihn gewissenhaft. Darin befanden sich ein Schlüsselbund sowie eine schwarze Lederbrieftasche. In ihr lag eine silberne Geldklammer, die Scheine im Wert von etwa fünftausend Euro zusammenhielt. In einer durchsichtigen Einsteckhülle waren Ausweis, Führerschein und Fahrzeugpapiere untergebracht. Daneben steckten einige Kreditkarten. Auch ein Hochzeitsbild von Agathe und Erwin befand sich darin. Dieses Foto weckte bei Specht erneut ein schlechtes Gewissen. Wie verhielt er sich bloß gegenüber seinem ehemaligen Kollegen, den er wirklich mochte und dem er beruflich viel zu verdanken hatte? Aber er war Polizist, und vor ihm stand ein potenzieller Tatverdächtiger, der einzige bisher. Er verharrte einen Augenblick und holte eine – für den Safe fast zu große – mit blauem Velours überzogene Schatulle heraus.
„Was ist das?“, er schaute Wanninger an.
„Mach auf, dann siehst du es.“

Übung 45: Ordnen Sie die Wörter zu Sätzen!

1. Schmuck – würde – Agathe – auch – billigen – über – freuen – sich.

___

2. sich – Kommissar – ist – es – so – für – zu – einen – unmöglich – etwas – leisten.

___

3. morgen – von – ich – einem – dich – früh – Dienstwagen – abholen – lasse.

___

ÜBUNG 45 !

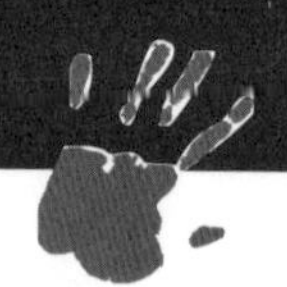

4. Wanninger – die – im – ging – Tür – auf – und – Zimmer – stand.

___

5. Geldscheine – Wert – Euro – im – etwa – im – lagen – von – fünftausend – Safe.

___

Er öffnete den Kasten und war geschockt. Darin befand sich ein Diadem mit glitzernden, wunderschön aussehenden Steinen. „Ich kenne mich nicht gut aus, vermute jedoch, dass es sich um Brillanten handelt."
„Ja, das ist richtig", bestätigte Wanninger.
Zudem befanden sich noch Ohrringe, ein Ring und ein Armband darin. Eine Pracht. Das fand selbst Specht, der sich nun gar nicht für Schmuck interessierte. „Kannst du mir das bitte erklären?"
„Ein Geschenk für meine Agathe", lächelte Wanninger mit einem schwärmerischen Blitzen in seinen Augen.
„Ein sehr kostspieliges Geschenk!"
„Das wird meine Agathe auch sagen und mich wahrscheinlich tadeln, aber was soll's. Sie ist es mir wert, und das möchte ich damit zum Ausdruck bringen. Weißt du, Agathe würde sich auch über billigen Schmuck freuen, das weiß ich. Aber ich wollte ihr einfach mal etwas richtig Schönes und Wertvolles schenken."
„Dass ihr euch liebt, das weiß ich ja. Aber Erwin, es ist doch für einen Kommissar schier unmöglich, sich so etwas zu leisten."
„Ach, und deshalb glaubst du nun, dass ich etwas mit diesen Wolpertinger-Diebstählen zu tun hätte? Ich schwöre es dir, ich habe nichts damit zu tun."
„Dann kannst du das ja auch in München zu Protokoll geben. Ich

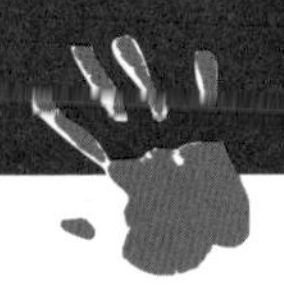

lasse dich morgen Früh von einem Dienstwagen hier abholen. Bitte pack ein paar Sachen ein."
„Was heißt das? Bin ich etwa festgenommen?"
„Ja, vorläufig schon."

Übung 46: Setzen Sie die Wörter in den Akkusativ Plural!

1. das kostspielige Geschenk ____________________
2. der potenzielle Tatverdächtige ____________________
3. sein leuchtendes Auge ____________________
4. der neugierige Kommissar ____________________
5. das billige Schmuckstück ____________________
6. die aufdringliche Frage ____________________

Am nächsten Morgen saß Erwin Wanninger bereits im Polizeiwagen, als Specht neben das Auto trat.
„Paul, bitte tue mir einen Gefallen. Fahr zu Agathe und sprich mit ihr. Ich konnte gestern nicht mehr anrufen, weil es schon zu spät war. Sie hätte sich auch nur unnötig aufgeregt. Weißt du, sie hat ein schwaches Herz."
„Sie hätte sich unnötig aufgeregt? Ich hoffe für dich, dass das hier alles unnötig ist."
„Also, machst du es?" Wanningers Frage war voller Erwartung.
„Ja, natürlich."
„Hier ist die Adresse, Kurhotel Chiemsee. Bitte erzähle ihr auch von dem Schmuck, den ich ihr schenken wollte."
„Zu welchem Anlass eigentlich?"
„Braucht man immer einen Anlass, wenn man jemandem etwas schenken möchte?"

Insgeheim dachte sich Specht, dass Wanninger ihr das eigentlich auch selber sagen konnte, denn er würde schon bald wieder auf freiem Fuß sein und an den schönen Chiemsee zurückkehren können. Das wusste Specht und sicher auch Wanninger, dafür war er zu lange im Polizeidienst gewesen. Denn es gab lediglich Indizien, aber keine Beweise dafür, dass Wanninger etwas mit der Tat zu tun hatte – sobald sie geklärt haben würden, ob der Schmuck für Agathe wirklich gekauft worden war. Vielleicht gehörte er ja auch zum Diebesgut des Wolpertingers ... Aber so dämlich konnte doch kein Serientäter sein, der bisher immer höchst intelligent aufgetreten war. Vielleicht war es auch eine neue Taktik? War seine Agathe in alles eingeweiht und deckte ihren Mann? Wenn Wanningers Frau in die Geschichte involviert war und sie beide etwas damit zu tun hatten, wäre sie vielleicht geständiger als ihr Mann. Ein Treffen mit ihr würde es sicherlich zeigen.

ÜBUNG 47 !

Übung 47: Ist die Adjektiv-Endung richtig oder falsch?

	r	f
1. Er war voller Erwartung.	( )	( )
2. Er war wieder auf freien Fuß.	( )	( )
3. Es war eine persönliche Schande.	( )	( )
4. Sie hatte sehr teurer Schmuck.	( )	( )
5. Frau Hansen war von norddeutsche Mentalität.	( )	( )
6. Er fuhr zum neues Präsidium.	( )	( )
7. Er machte großen Augen.	( )	( )

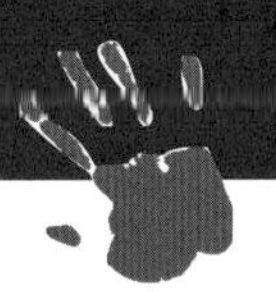

Nach 48 Stunden war Wanninger wieder frei. Huber hatte es sich nicht nehmen lassen, bei dessen Befragung persönlich anwesend zu sein. Er hatte sich jedoch still verhalten und Specht reden lassen. Dieser hatte die Befragung schließlich mit dem Bescheid beendet, Wanninger könne gehen, solle sich aber für weitere Fragen zur Verfügung halten. Wanninger verließ das Präsidium – erleichtert und geknickt zugleich. Zum einen war er zwar frei und konnte wieder zu seiner Agathe zurück, zum anderen empfand er es als eine Schande, verhaftet worden zu sein. Ausgerechnet er, der seinen Dienst so viele Jahre in genau diesem Präsidium abgeleistet hatte.

„Herr Specht, es macht Ihnen doch nichts aus, wenn ich heute noch einmal etwas früher gehe?"
„Nein, kein Problem, Frau Hansen." Seine Sekretärin hatte sich verändert, so empfand er es zumindest. Sie putzte sich besonders heraus, war ihm gegenüber jedoch eher kühl – was zwar an ihrer norddeutschen Mentalität liegen mochte, aber er kannte sie auch anders.
„Dann bis morgen, Herr Specht."

Übung 48: Setzen Sie den folgenden Absatz ins Präsens!

Specht ging zu dem Fenster, das zur Straßenseite lag. Von seinem Büro aus ließ sich die Effnerstraße, die zum Altstadtring führte, gut beobachten. Ein dunkelblauer Porsche Carrera hielt unerlaubterweise vor der Präsidiumseinfahrt. Eva Hansen stieg ein. Er erkannte sie an ihrem weißen Trenchcoat oder vielmehr an ihrer roten Mütze, die sie frech auf ihrem Kopf trug, und der roten, übergroßen Handtasche, in der man ein ganzes Waffenarsenal unterbringen konnte. Was hatten Frauen nur immer in ihren Handtaschen? Doch das war nicht die wichtigste Frage, die ihn beschäftigte. Hatte die Hansen einen neuen Freund? Die stand wohl auf Leute, die Geld hatten. „Na, wenn schon“, dachte er sich. „Was kümmert’s mich?“

Auf dem Nachhauseweg hielt er noch kurz bei seinem Lieblings-Würstelstand, kaufte sich eine Bratwurst und aß diese genüsslich an einem Stehtisch. Er dachte über seinen Fall nach und ging die verschiedenen Tatorte in seinem Kopf durch, immer und immer wieder. Mittlerweile zweifelte er fast an sich selbst und fragte sich, ob er den Täter jemals erwischen würde. Er dachte an das Ultimatum, das ihm sein Chef gestellt hatte. Er hatte nicht mehr lange Zeit.
Als er die Treppen zu seiner Wohnung hinaufstieg, rief ihm seine Hausmeisterin nach: „Guten Abend, Herr Specht, wie geht es Ihnen?“
„Danke, gut. Ich hoffe, Ihnen auch.“ „Blöde Floskel“, dachte er, „eigentlich müsste ich sagen: Schlecht, so schlecht wie noch nie!“
„Ja, ja, muss ja gehen ...“, erwiderte sie.
Specht hatte keine Lust auf Gespräche, er wollte seine Ruhe haben und sich in seine Wohnung zurückziehen – niemanden sehen und nichts mehr hören. Er war gereizt.
„Sie sind recht gestresst, hmmm? Das erinnert mich an meinen verstorbenen Mann, der saß auch immer so lange im Büro. Die Arbeit hat ihn kaputt gemacht.“
Specht gab darauf keine Antwort.
„Aha, ich merke schon, Sie sind zu müde, um sich zu unterhalten. Ich wollte Ihnen auch nur dieses Kuvert geben – wichtige Nachricht – so steht es zumindest auf dem Umschlag. Ein Fahrradkurier hat ihn so gegen 18.00 Uhr gebracht.“
„Eine Nachricht?“

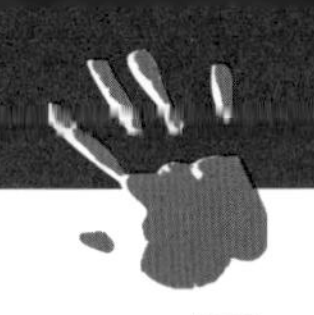

Übung 49: Finden Sie acht Fehler!

Er stieg die Treppen wieder hinunter. Was konnte das für eine Nachricht sein? Frau Brösel übergab ihm ein weißen Kuvert.
„Von einer Frau!“, schmunzelte sie.
„Wie kommen Sie denn darauf?“
„Na ja, die Handschrift und dann der Geruch. Der Briefumschläge wurde mit Parfüm eingesprüht.“
„Das nenne ich kriminalistisches Gespür. Danke, Frau Brösel. Sonst war ja Nichts mehr, oder?“
Wie gerne hätte sie gewusst, was sich in diesem Umschlag befand.
„Nein, Herr Specht, ich hab’s ja auch nur gut gemeint“, brummte sie und zog die Tür energisch hinter sich in Schloss.
„Oh je“, dachte sich Specht. „Ich bin ein solcher Hornochse. Ich lasse meine schlechter Laune an Leuten aus, die nichts dafür können. Aber diese Neugierde ... Ich werde mich morgen bei ihr endschuldigen“, nahm er sich fest vor.
Noch im Flur betrachtete er den Umschlag näher, roch daran und sah sich die Handschrift an: Wichtige Nachricht für Paul Specht. Frau Brösel mußte Recht haben. Welcher Mann sollte ihm einen solchen Briefumschlag per Kurier schicken? Und welche Frau? Er riss den Umschlag auf und fand eine kleine Karten darin? Ich würde mich sehr freuen, wenn wir uns morgen um 17.30 Uhr im Seehaus treffen könnten. Absender: Raten Sie mal.

So etwas hatte er noch nie bekommen. Wer könnte ihm das geschickt haben? Ein bisschen stolz war er ja schon und dachte an seine Sekretärin. Oder war es am Ende Sandra Danninger, die schwarzhaarige junge Assistentin, die aus der Oberpfalz kam und bei seinem Kollegen Deixler arbeitete? Sie lachte ihn mittags in der Kantine immer so nett an. Nein, nein, er verwarf diesen

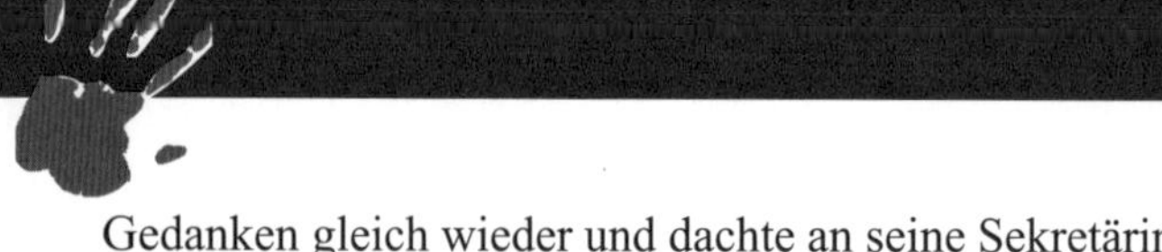

Gedanken gleich wieder und dachte an seine Sekretärin. Na ja, der morgige Tag schien auf jeden Fall spannend zu werden.

Übung 50: Unterstreichen Sie im folgenden Absatz sämtliche Dative!

Die Abendsonne spiegelte sich im Kleinhesseloher See. Der Herbst würde in wenigen Wochen dem Winter weichen müssen und Bäume sowie Wiesen mit einer weißen Schicht überziehen. Dann gehörte der Englische Garten den Spaziergängern, verliebten Pärchen und Senioren, die am See die Enten füttern. Im Frühling und Sommer wurde er eher von Sonnenhungrigen und Studenten belagert, die auf den Wiesen ihre Decken ausbreiteten und ihre Lehrbücher auspackten. Noch herrschten angenehme Temperaturen. Wenn man sich warm einpackte, konnte man sogar noch im Biergarten sitzen. Doch jetzt, um diese Zeit, war es still im Park. Nur ein paar Spaziergänger kamen Specht entgegen. Ein Obdachloser lag auf einer Bank am See und schlief. Vier Bänke weiter saß eine blonde Frau, die aus der Entfernung betrachtet auch seine Sekretärin hätte sein können. Specht war schon spät dran, deshalb ging er gleich ins Restaurant. Er setzte sich an einen Tisch, von dem aus man den ganzen Laden beobachten konnte. Aufgeregt schaute er zur Uhr: 17.20 Uhr. Dann blieb sein Blick an der rothaarigen Bedienung hängen, die auf ihn zukam. Sie trug diese modernen, ausgewaschenen Jeans, ein enges, bauchfreies T-Shirt und hatte ein Bauchnabelpiercing.

„Hallo, was darf ich Ihnen bringen?“
„Grüß Gott, ein Weißbier bitte.“ Das durfte er bestellen, da seine offizielle Dienstzeit für heute beendet war. Wobei er sich immer noch nicht so ganz sicher war, was ihn jetzt gleich erwarten wür-

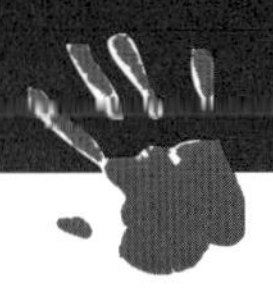

de. Dienstlich würde es wohl nicht sein, aber vielleicht würde es ein unvergessliches Rendezvous werden.
„Möchten Sie auch etwas essen?"
„Nein danke, ich warte noch auf jemanden. Sie können aber gerne schon mal die Speisekarte bringen. Sicherlich essen wir dann auch noch etwas."
Die Bedienung, höchstens zwanzig Jahre, wie Specht schätzte, brachte sein Getränk und die Speisekarte: „Bitte schön!".
Um 17.28 Uhr betrat ein Liebespärchen das Lokal. Sie nahmen den Tisch direkt am Fenster. Nun konnte es nicht mehr lange dauern, bis die Absenderin der Nachricht die Gaststätte betreten würde.
Um 17.40 Uhr wurde specht langsam ungeduldig. „Vielleicht hat sie Probleme, einen Parkplatz zu finden oder sie hat kein Taxi bekommen oder die U- oder S-Bahn ist ihr vor der Nase weggefahren", dachte er sich. Specht war ziemlich nervös und bestellte noch ein Bier.
Die Bedienung stellte es mit der Bemerkung hin: „Wollen Sie mit dem Essen noch warten?"

Übung 51: Setzen Sie die Verben aus den Klammern ein!

„Ja, ja, ich warte noch, danke." Nach weiteren zehn Minuten 1. (setzen) ________ er sich ein Limit, wie lange er hier noch ausharren wollte. Mittlerweile war das halbe Lokal gefüllt. Specht hatte sich eins der Magazine 2. (nehmen) ________, die neben der Theke auslagen, und versuchte, sich damit etwas abzulenken. Unter der Rubrik *Reise* war ein Bericht über die Toskana mit traumhaft schönen, einladenden Fotos. Das 3. (bringen) ________ ihn nicht gerade auf positive Gedanken. Er 4. (müssen) ________ an Wanninger und seine Frau 5. (denken) ________. Sie waren noch immer am Chiemsee, nach seiner Rechnung noch fünf Tage. Schnell blätterte er weiter und 6. (lesen) ________ zum Spaß sein Horoskop. Specht hatte im März Geburtstag, sein Sternzeichen war Fische: Sie werden ein Erlebnis haben, das Ihren beruflichen Weg beeinflussen wird. „Äh, und was ist mit meinem privaten ...?", dachte er, und musste ein wenig schmunzeln. Er hatte noch nie an so einen Unsinn 7. (glauben) ________. Mittlerweile war es 18.30 Uhr. Er hatte sein persönliches Limit 8. (überziehen) ________ und wollte enttäuscht 9. (aufbrechen) ________.

„Entschuldigen Sie bitte, ich hätte dann gerne die Rechnung", rief er der Bedienung zu.
„Ja, ich bin gleich bei Ihnen", erwiderte das rothaarige Mädchen.
Wieder vergingen einige Minuten.
„8,60 Euro bitte."
„Hier sind 10 Euro, stimmt so. Vielen Dank."
„Ich danke auch. Sagen Sie, sind Sie Herr Specht?"
Specht sah sie verblüfft an. „Ja. Kennen wir uns?"
„Nein, aber ich habe einfach mal so getippt. Denn viele Single-Männer sind ja nicht hier."
„Ja, und ..."

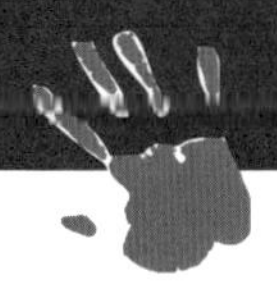

„Herr Specht, ich habe hier ein Päckchen für Sie, das ich Ihnen übergeben soll."
„Für mich? Das muss ein Irrtum sein."
„Nein, ist es nicht. Nicht, wenn Sie Herr Specht sind."
„Woher haben Sie das Päckchen?"
„Ein Bote hat es vor etwa zehn Minuten abgegeben, mit der Bitte, es einem Herrn Specht auszuhändigen, sobald dieser gehen will."
„Hat er gesagt, von wem er kommt?"
„Nein, und ich muss gestehen, ich habe ihn auch nicht gefragt. Normalerweise weiß man doch ..."

Übung 52: Unterstreichen Sie acht Zeitfehler!

ÜBUNG 52 !

„Ist schon gut", unterbricht Specht das Gespräch und nahm das Paket entgegen. Es war in Papier eingewickelt, auf dem in gleicher Handschrift wie auf dem Kärtchen von gestern steht: Bitte persönlich übergeben, Herrn Paul Specht, c/o Seehaus, Englischer Garten. Specht hatte nicht warten wollen und riss die Verpackung sofort auf – vielleicht befand sich ja etwas Wichtiges darin. Unter dem Packpapier ist ein Geschenkkarton in weiß-blauem Rautenmuster zum Vorschein gekommen. Die Leute am Nebentisch starren zu ihm herüber. Er kümmerte sich nicht darum und hob den Deckel. Dabei muss er an all die Artikel und Reportagen denken, in denen über Briefbombenattentate berichtet wurde, die immer wieder auf Politiker verübt wurden. Aber er ist ja kein Politiker. Er hob den Deckel hoch. „Dieser Verbrecher", kommt es ihm laut über die Lippen. Nun starrten ihn nicht nur die Leute vom Nebentisch an, sondern auch die restlichen Gäste. Der Karton enthielt einen Wolpertinger und ein weiteres Kärtchen: Mit den besten Grüßen von Ihrem Freund!

Paul Specht hätte beinahe einen Auffahrunfall verursacht, als er auf der Ettstraße kurz vor dem Präsidium an einem Zeitungsautomaten die Schlagzeile las und abrupt bremste. Zehn Zentimeter groß waren die Buchstaben, mit denen auf der Titelseite verkündet wurde: *Die Wolpertinger-Story*. Er hielt im absoluten Halteverbot, sprang aus dem Auto und kaufte sich eine Zeitung. Noch auf dem Weg vom Kiosk zum Auto begann er zu lesen. *Polizei unfähig. Weitere Taten werden folgen ...* Tausende von Gedanken schossen ihm durch den Kopf. Es war klar, dass sein Chef heute ein kleines Donnerwetter über ihn herniedergehen lassen würde. Auf dem Beifahrersitz lag der Karton, dessen Inhalt ihm Albträume verursachte, und den er gleich in die Spurensicherung bringen wollte. Er stellte sein Auto im Hof ab und benutzte den Seiteneingang in der Löwengrube. Über den Paternoster erreichte er den zweiten Stock, wo sich sein und Hubers Büro sowie drei Vernehmungszimmer befanden. Uniformierte Beamte kamen ihm entgegen und schauten ihn, wie er fand, musternd an. Wahrscheinlich lachten seine eigenen Kollegen schon über ihn. Er ging schnell in sein Büro, um den Mantel abzulegen.

ÜBUNG 53 !

Übung 53: Setzen Sie den Artikel ein und bilden Sie den Plural!

1. _____ Albtraum ____________________

2. _____ Automat ____________________

3. _____ Gummibärchen ____________________

4. _____ Keks ____________________

5. _____ Tablett ____________________

„Hallo, Herr Specht! Wie geht es Ihnen?“, begrüßte ihn eine überaus freundliche und gut gelaunte Eva Hansen.
„Besser Sie fragen nicht.“
„Darf ich Ihnen einen Kaffee ...“
„Nein“, unterbrach er sie, „ich werde gleich zum Chef gehen.“
Er betrat Hubers Vorzimmer.
„Guten Morgen, Herr Specht! Gut geschlafen?“, fragte ihn Waltraud Waldbauer, die bereits seit 40 Jahren im Dienst des jeweiligen Kriminalrats stand. Sie kannte noch Hubers Vorgänger und Vorvorgänger. Sie war ein bisschen wie seine eigene Mutter, fand er. Eine hagere Frau, die essen konnte, was sie wollte und nicht dicker wurde. Auf ihrem Schreibtisch stand immer eine Schale mit Gummibärchen, Schokolade oder Keksen. „Herr Huber hat bereits versucht, Sie zu erreichen“, sagte sie, während sie ihm die Schüssel mit den Süßigkeiten reichte. „Er hat leider gerade noch eine Besprechung, die aber nicht mehr lange dauern dürfte. Möchten Sie warten?“
„Wenn es wirklich nicht lange dauert.“
„In der Zwischenzeit bekommen Sie einen Kaffee von mir, ich habe gerade frischen gekocht.“

Übung 54: Bilden Sie den Genitiv!

ÜBUNG 54 !

1. die netten Bedienungen ______________________________
2. der dicke Aktenordner ______________________________
3. die offenen Regale ______________________________
4. die silberne Thermoskanne ______________________________
5. die schwierigen Fälle ______________________________

Sie huschte aus dem Zimmer und kam mit einem blauen Tablett zurück. Darauf stand eine silberfarbene Thermoskanne, zwei Kaffeetassen und ein Gugelhupf, sein Lieblingskuchen. Sie goss ihm Kaffee ein, schwarz mit einem Stück Zucker. Sie wusste, wie er ihn mochte.
„Nun stärken Sie sich erst einmal. Und wie gesagt, Herr Huber wird gleich frei sein."
Specht schaute sich in ihrem Büro um. Es gab wohl im ganzen Haus kein aufgeräumteres Zimmer. In den offenen Regalen standen dicke Ordner so in einer Reihe, als hätte jemand mit dem Lineal eine Linie gezogen. Die Akten auf ihrem Schreibtisch waren fein säuberlich, fast millimetergenau, aufeinander gestapelt. Alles hatte seinen festen Platz.

ÜBUNG 55 !

Übung 55: Finden Sie das schwarze Schaf!

1. Kuchen, Torte, Kekse, Pudding
2. Ordner, Dosen, Akten, Büroklammern,
3. Geschenk, Präsent, Souvenir, Gabe
4. Kaffee, Tee, Kakao, Saft
5. Bilderbuch, Zeitung, Schlagzeile, Artikel

„Na, schmeckt Ihnen mein selbst gebackener Kuchen?"
„Ja, sehr gut, vielen Dank."
„Herr Specht, Sie machen einen sehr unglücklichen Eindruck, ähnlich wie mein Chef. Der Wolpertinger-Fall macht Ihnen wohl zu schaffen, hmmm?"
„Das können Sie laut sagen, Frau Waldbauer. Schlaflose Nächte, und dann auch noch die Presse", dabei hob er die gekaufte Zeitung in die Höhe.

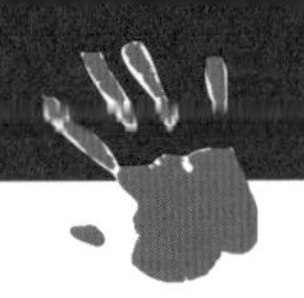

„Ich weiß, ich habe sie schon gelesen. Nun sind Sie schon so lange bei der Polizei, Sie wissen doch, wie sich die Presse auf solche Fälle stürzt. Das ist praktisch ein gefundenes Fressen für die. Das habe ich heute morgen auch schon Herrn Huber gesagt."
Specht verdrehte die Augen.
„Das wäre der erste Fall, den Sie beide nicht aufklären würden. Die Sache ist aber auch schrecklich verzwickt."
„Mittlerweile kommt mir das alles so vor, als würde sich jemand an uns rächen wollen."
Die Tür ging auf und ein Mann mit Aktenköfferchen, den Specht nicht kannte, trat aus Hubers Büro. Er grüßte kurz und verschwand.

Übung 56: Unterstreichen Sie die richtige Alternative!

1. Er wollte im Büro um neun Uhr sein./Er wollte um neun Uhr im Büro sein.
2. Sie gab ihm das Geschenk./Sie gab das Geschenk ihm.
3. Sie gab es ihm./Sie gab ihm es.
4. Jedes Mal er hängte einen Wolpertinger auf./Jedes Mal hängte er einen Wolpertinger auf.
5. Er ist gefahren in den Urlaub jedes Jahr./Er ist jedes Jahr in den Urlaub gefahren.

Specht stand auf und klopfte an die offen stehende Tür. „Guten Morgen, Herr Huber. Haben Sie kurz Zeit für mich?"
„Ob das ein guter Morgen ist, wage ich zu bezweifeln. Kommen Sie rein", brummte er ihm entgegen.
„Frau Waldbauer, wir möchten jetzt nicht gestört werden", rief Huber laut aus seinem Büro.
„Specht, haben Sie die Zeitung gelesen?"

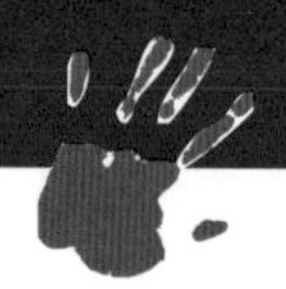

„Ja, natürlich."

„Und, was denken Sie?"

„Herr Huber, ich denke, dass sich jemand bei der Polizei oder bei mir persönlich rächen möchte. Dem Täter ist daran gelegen, uns vor der Öffentlichkeit zu blamieren! Zunächst weist die Tatsache darauf hin, dass er immer sein Markenzeichen am Tatort hinterlässt, diese Wolpertinger. Des Weiteren wurden ausschließlich Schmuck und kein Bargeld oder andere Wertgegenstände entwendet. Da will uns doch jemand an der Nase herumführen! Und sehen Sie sich das an, gestern erhielt ich zu Hause eine Nachricht. Ich sollte mich um 17.30 Uhr im Seehaus einfinden, was ich auch tat. Doch niemand kam. Dafür erhielt ich ein nettes Geschenk. Die Bedienung überreichte mir diesen Karton, der von einem Kurier überbracht wurde. Nun raten Sie mal, was sich darin verbirgt?"

ÜBUNG 57 !

Übung 57: Setzen Sie die Personalpronomen ein! ***(mich, mir, mir, Sie, ich)***

„1. _____ ist nicht gerade nach einem Ratespiel zu Mute, nun sagen Sie schon, was Sache ist."

„Na ja, es gibt mal wieder Nachwuchs für unsere Wolpertinger-Galerie. Ich werde den Karton gleich auf Spuren untersuchen lassen, mache 2. _____ jedoch wenig Hoffnung. Wir wissen ja, wie unser Phantom arbeitet. Ein kleines Kärtchen mit einem freundlichen Gruß lag auch noch dabei."

„Diese Dreistigkeit macht 3. _____ wütend, wir müssen diesen

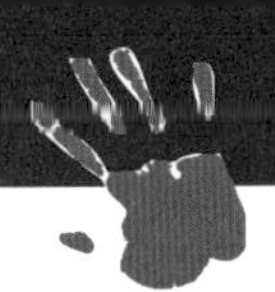

Dieb endlich zur Strecke bringen. Also, wie sieht Ihr Plan aus?"

„Ich werde heute die komplette Kartei durchgehen. Vielleicht finde 4. _____ etwas. Außerdem werde ich prüfen lassen, wer von den Verbrechern, die wir hinter Gitter gebracht haben, seit den Wolpertinger-Diebstählen wieder auf freiem Fuß ist."

„Specht, denken 5. _____ daran: Wir brauchen endlich Erfolge, sonst blamieren wir uns bis auf die Knochen!"

Den Nachmittag verbrachte Specht am Schreibtisch. Immer wieder studierte er die Ermittlungsakten auf der Suche nach dem vielleicht entscheidenden Hinweis, den er bislang übersehen hatte. Eine ganze Weile war außer dem Rascheln von Papier nichts aus seinem Büro zu hören. Auch die Überprüfung der Verbrecher, die zum Zeitpunkt der Wolpertinger-Diebstähle ihre Strafe schon abgebüßt hatten, brachte kein greifbares Ergebnis. Specht war eigentlich kein Schreibtischtäter. Er mochte keine Büroaufgaben und noch weniger mochte er es, wenn all seine Ermittlungen nicht einmal einen klitzekleinen Anhaltspunkt zur Aufklärung des Falls brachten. Da er dringend einen Kaffee brauchte, stand er auf und ging ins Vorzimmer.
„Frau Hansen, könnte ich bitte einen Kaffee bekommen?"
„Aber natürlich. Ich setze gleich frischen auf." Sie zögerte etwas.
„Herr Specht, wegen neulich ... Ich mache Ihnen keinen Vorwurf, Sie mussten ja Ihrem Dienst nachgehen. Ich hätte nicht so beleidigt reagieren sollen."
„Ach was, habe ich gar nicht bemerkt", konterte er. „Außerdem wollte ich mich schon die ganze Zeit bei Ihnen entschul ..."

Übung 58: Setzen Sie das passende Reflexivpronomen ein!

ÜBUNG 58 !

1. Specht wollte _____ bei Frau Hansen entschuldigen.
2. Specht dachte: „Ich muss ____ wirklich besser benehmen."
3. Huber sagte: „Wir müssen ____ sofort sprechen."
4. Frau Hansen hatte _____ ein wenig in Specht verliebt.
5. Erwin wollte wissen: „Beschäftigt ihr _____ immer noch mit dem Phantom?"
6. Vergiss _____ nicht.

Da klingelte das Telefon. Eva Hansen ging zum Schreibtisch und nahm den Hörer ab. Ihr Gesicht verdunkelte sich: „Was? Oh nein, bitte nicht schon wieder", empörte sie sich. „Ja, ja, ich werde es sofort Herrn Specht melden."

„Was ist los?"

„Ein Einbruch in der Nymphenburgerstraße. Der gesamte Schmuck wurde gestohlen, und ein neues Tierchen für unsere Sammlung wartet auch auf Sie."

„Wolpertinger?!" Er verdrehte die Augen. „Wenn das so weiter geht, kann ich mir bald einen neuen Job suchen." Specht nahm seinen Mantel vom Haken an der Garderobe und stürmte zur Tür.

„Aber Ihr Kaffee, nun trinken Sie doch wenigstens noch einen Schluck!"

„Keine Zeit." Und schon war er durch die Tür verschwunden.

„Aber, ob Sie nun fünf Minuten früher oder später zum Tatort kommen ...!", rief sie ihm nach.

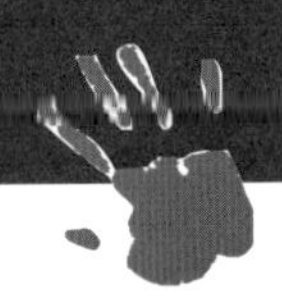

Übung 59: Setzen Sie den folgenden Absatz ins Plusquamperfekt!

Specht nahm sich selten Zeit, auf den Aufzug zu warten. Er rannte die Treppen hinunter Richtung Ausgang und verließ das Polizeigebäude durch die Glastür an der Ecke. Er stieg ins Auto und fuhr los. Zielstrebig fuhr er nach Westen, überquerte den Rotkreuzplatz und lenkte sein Auto Richtung Nymphenburger Kanal. Es nieselte leicht an diesem kühlen Herbsttag. Niemand begegnete Specht, als er in die linke Kanalstraße einbog, in der sich herrschaftliche Jugendstilvillen wie Perlen an einer Kette aneinander reihten. Üppige Kastanienbäume säumten die Straße. Er parkte im Halteverbot, auch hier gab es offensichtlich Parkplatzprobleme. Specht stieg aus dem Auto und überquerte die Straße in Richtung Schloss Nymphenburg.

Er verlangsamte seine Schritte. Im Erdgeschoss der dreistöckigen Villa mit der Hausnummer 10 brannte Licht. Es war zwar erst 17.00 Uhr, aber der Himmel war heute schon den ganzen Tag ziemlich wolkenverhangen. Außerdem musste man sich schon wieder langsam daran gewöhnen, dass es früher dämmerte. Immerhin war es bereits Oktober. Specht bemerkte das aber sowieso oft nicht, da er meist erst nach Hause ging, wenn es schon dunkel war.
Ein Blick auf das Klingelschild verriet ihm, dass er richtig war: Dr. Friedhelm Nowotny. Er klingelte, ein Summton erklang und die Gartentür wurde elektronisch geöffnet. Er schaute nach rechts und nach links. „Ein überaus gepflegter Rasen“, dachte er, als er über den kopfsteingepflasterten Weg zur Haustür ging. „Wahrscheinlich wird er von einem Gärtner eigens mit der Nagelschere gestutzt. Ob sich da Insekten noch wohl fühlen können ...?“ Eine attraktive Blondine mittleren Alters öffnete die Haustür.
„Ja bitte?“ Sie begutachtete Specht von oben bis unten.

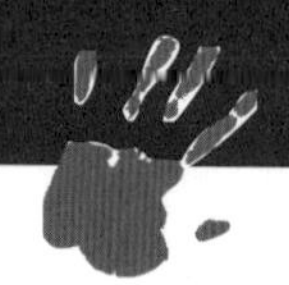

„Specht, Kripo München."
„Oh, guten Tag, Herr Specht, wir haben Sie schon erwartet."
Die Dame hatte eine sehr verrauchte und für ihren zierlichen Körperbau ungewöhnlich tiefe Stimme.
„Ich bin Eleonore Nowotny, bitte treten Sie ein."
„Ein geschmackvoll eingerichtetes Haus", fand Specht. Ein großer Lüster hing in der hohen und großzügig gestalteten Eingangshalle.
„Herr Specht, wenn Sie mir bitte folgen möchten. Mein Mann wartet bereits im Arbeitszimmer." Eine breite Holztreppe führte nach oben. Sie gingen durch eine kunstvoll geschnitzte Tür und betraten einen hellen Raum, in dem sich mehrere Regale und Schreibtische befanden. Neben einem der Tische stand ein eher kleiner Mann, höchstens 1,65 Meter groß. Er war sehr hager, hatte wenig Haare auf dem Kopf und trug eine kleine runde Brille. Im Gegensatz zu seiner Frau wirkte er sehr nervös.

ÜBUNG 60 !

Übung 60: Setzen Sie die passenden Reflexivpronomen ein!

1. Ich kann _____ nicht vorstellen, dass Specht den Täter findet.
2. Haben Sie _____ schon den neuen Fall vorgenommen?
3. Kannst du _____ das bitte merken?
4. Habt ihr _____ schon an der Rezeption gemeldet?
5. Wir können _____ schon denken, was Nowotny von Specht will.

„Darf ich vorstellen, mein Mann."
„Guten Tag, Herr Dr. Nowotny. „Kennen wir uns nicht irgendwoher?", fragte Specht.
„Nicht, dass ich wüsste, es sei denn, Sie waren schon einmal in

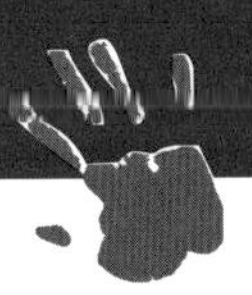

meiner Praxis am Karlsplatz."
„Was für eine Praxis haben Sie denn?"
„Ich bin Psychiater".
„Nein, nein, dann muss ich Sie verwechseln", antwortete Specht entschieden. Dabei dachte er sich: „Wenn ich diesen Fall nicht bald löse, werde ich wirklich noch Patient des Doktors." Dann sprach er weiter: „Ich höre, die Spurensicherung war schon hier. Ich wäre Ihnen aber dankbar, wenn Sie auch mir noch einmal erzählen könnten, was passiert ist."
„Wir, das heißt ich, meine Frau war beim Sport und kam etwas später ... Ich saß im Wohnzimmer, das liegt im Erdgeschoss. Bereits gestern hatte ich die heutige Sprechstunde abgesagt, weil ich mich gesundheitlich etwas angeschlagen fühle, ein Grippevirus plagt mich schon seit Tagen."
„Bei dem Wetter ist das auch kein Wunder."

Übung 61: Setzen Sie die Adjektive und Adverbien ein! ***(herber, schnellen, laut, offen, leiser, mühelos, wertvolles, jeden, ersten)***

ÜBUNG 61 !

„Ja, ja, ja ..., da mögen Sie recht haben. Ich saß also im Wohnzimmer und hörte Vivaldi, relativ 1. ______, da meine Frau ja nicht da war. Ein lauter Knall ließ mich hochschrecken. Erst dachte ich, Eleonore, äh, meine Frau sei früher nach Hause gekommen, doch so war es nicht. Also machte ich die Musik 2. ______ und ging in die Eingangshalle, um zu sehen, was passiert war. Irgendwie hatte ich das Gefühl, dass sich jemand im 3. ______ Stock aufhielt. Also ging ich nach oben. Ich rief ein paar Mal den Namen meiner Frau, doch nichts regte sich. Und als ich dann die Tür zum Arbeitszimmer aufmachte, erschrak ich fürchterlich. Plötzlich stand mir ein Mann gegenüber. Ein Mann ohne Gesicht! Ich bin als Psychiater ja einiges gewohnt, aber so etwas ... Auf 4. _____ Fall war ich so geschockt, dass der Mann mich 5. ______ zur Seite schubsen konnte. Dann stürmte er die Treppen hinunter, Richtung Ausgang. Dabei stolperte er, fing sich wieder und rannte davon. Ich rappelte mich wieder hoch, ging 6. ______ Schrittes in mein Arbeitszimmer und sah die Bescherung. Der Safe stand 7. _____, es schien im ersten Moment nichts zu fehlen. Doch dann stellte ich fest, dass Elenores dunkelblaue Schmuckschatulle fehlte. Darin befand sich unter anderem ein sehr 8. ______ Collier. Der Schmuck ist zwar versichert, aber dennoch ein 9. ______ persönlicher Verlust."

Frau Nowotny putzte sich die Nase, eine Träne rollte ihre Wange hinunter.
„Ja, und dann rief ich auch sofort die Polizei an."
„Bitte erzählen Sie weiter. Wie groß war der Täter? War er jung oder alt?"
„Das ist schwer zu schätzen, aber von der Statur her wirkte er sehr sportlich, fast athletisch. Mehr kann ich Ihnen zur Person nicht sagen. Es ging ja auch alles so schnell. Außerdem muss ich zugeben, dass ich vor allem auf das Gesicht gestarrt habe. Oder besser gesagt: auf das nicht vorhandene Gesicht."
„Wie entsetzlich. Zum Glück ist dir nichts passiert, mein Lieber.

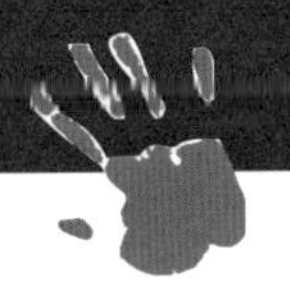

Mein Schmuck ist nicht so wichtig", schluchzte seine Frau.
Wobei Specht einen kurzen Moment lang dachte, dass das nicht so wirklich überzeugend klang.
„Doch das Merkwürdigste haben Sie ja noch gar nicht gehört, Inspektor."
„Nicht Inspektor, Kommissar, Frau Nowotny", berichtigte er sie.
„Oh, entschuldigen Sie bitte", meinte sie abwesend. „Zumindest hing eine seltsam aussehende Puppe, nein Plüschfigur, an der Safetür. Die haben Ihre Kollegen aber schon mitgenommen."
„Ich weiß!", meinte Specht kurz. „Höchstwahrscheinlich handelt es sich hier um einen Serientäter. Herr Dr. Nowotny, dürfte ich Sie bitten, morgen aufs Polizeipräsidium zu kommen, um das Protokoll zu unterschreiben?"
„Ja, selbstverständlich. Das liegt ja auch ganz in der Nähe meiner Praxis."
„Aber mein Lieber, du kannst doch nach dieser Aufregung nicht morgen schon wieder arbeiten gehen ..."
Specht wartete darauf, dass Nowotny etwas antwortete. Als er es nicht tat, fragte er: „Darf ich mich noch etwas umschauen?"
„Ja, aber natürlich."

Übung 62: Unterstreichen Sie zehn Fehler!

ÜBUNG 62 !

Specht untersuchte jede Ecke des Arbeitszimmer und sah sich das kaputten Fenster genauer an, über das der Dieb eingedrungen war. Es war offensichtlich, dass der Verbrecher wirklich sportlich sein musste. Wie hätte er sonst über den Fassade klettern können? Er ging zur Treppe hinaus und ließ sich von Dr. Nowotny genau zeigen, wo das Phantom ihn am Boden geworfen hatte. Spechts Schnüffler-Instinkt war geweckt. Er suchte den Boden Millimeter

für Millimeter ab.
„Herr Specht, Ihre Kollege haben das alles schon inspiziert.“
„Man weiß ja nie“, antwortete Specht.
Plötzlich sah er zwischen Teppichs und Holzboden etwas glitzern. Er zog ein Taschentuch heraus, kroch auf allen Viere in die Ecke und hob ein goldenes Kettchen mit Anhängers hoch. „Das sollte sich die Spurensicherung mal genau ansehen“, dachte er. Der Anhänger stellte ein Sternzeichen dar: „Schütze“, kommentierte Specht. Er zeigte sein Fund den Nowotnys und fragte: „Kennen Sie den Halskettchen?“

„Nein, so etwas Profanes trage ich nicht. Außerdem bin ich Jungfrau und nicht Schütze. Und mein Mann trägt überhaupt keinen Schmuck, ich meine, außer seiner Uhr und dem Ehering.“
„Könnte es sein, dass das Kettchen eventuell einem Ihrer Hausangestellten gehört?“
„So viele Hausangestellte haben wir nicht“, antwortete Nowotny.
„Also, Maria, unser Hausmädchen, trägt ein Goldkettchen, das hatte sie gestern noch um“, warf Frau Nowotny ein, „aber unsere Maria ist sehr zuverlässig und ehrlich. Dann gibt es noch Angelo, unseren Gärtner. Er hat selten im Haus zu tun. Die Pflanzen im Haus pflegt Maria. Auch Angelo trägt ein Goldkettchen mit einem Kreuz als Anhänger.“ Als sie das sagte lächelte sie verträumt.

ÜBUNG 63 !

Übung 63: Markieren Sie den richtigen Artikel und finden Sie das Lösungswort!

	der	die	das
Adresse	S	D	P
Lichtblick	E	A	O

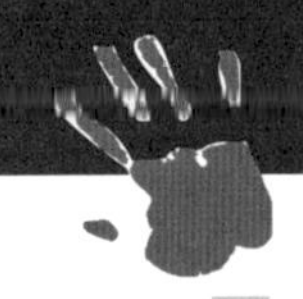

Unterzeichnung	I	U	E
Strafzettel	T	N	M
Windschutzscheibe	K	S	M
Schuppe	B	C	Ä
Kreuz	G	N	H

Lösungswort: ___________________________

Herr Nowotny sah seine Frau prüfend an, es schien so, als wäre er sehr eifersüchtig. „Wahrscheinlich auch zu Recht“, dachte Specht. „Aber Sie können die beiden ja persönlich befragen, ich hole Ihnen die Adressen. Übrigens arbeitet Angelo auch als Kellner in dem italienischen Lokal in der Nymphenburgerstraße. Sie kennen es sicherlich.“
„Nein, tue ich nicht. Ist nicht meine Gegend hier. Ich werde beide morgen ins Präsidium zur Aussage bestellen. Sollte ich noch Fragen haben, werde ich mich wieder bei Ihnen melden.“
„Ja, natürlich, hier ist meine Karte, aber wir sehen uns ja morgen wegen der Unterzeichnung des Protokolls.“
„Ja, das tun wir.“

Übung 64: Setzen Sie die Sätze ins Futur!

ÜBUNG 64 !

1. Angelo wird von Specht verhört.

____

2. Herr Nowotny ruft Specht an.

____

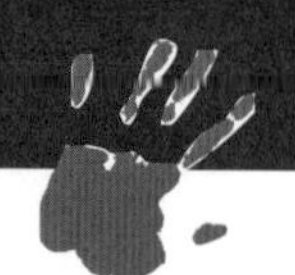

3. Die beiden melden sich nicht noch einmal.

____

4. Du kannst nach dem Stress bestimmt gut schlafen.

____

5. Ihr kommt zum Unterzeichnen ins Präsidium.

____

6. Ich rufe dich auf dem Handy an.

____

Er verabschiedete sich, ging zu seinem Auto und wählte aufgeregt die Handynummer seines Chefs, dem er sogleich erzählte, dass es endlich einen, wenn auch nur kleinen, Lichtblick im Fall Wolpertinger gab: das Goldkettchen. Mehr würde er morgen durch die Spurensicherung und die Vernehmung der beiden Hausangestellten in Erfahrung bringen. Denn die Befragung der Nachbarschaft durch seine Kollegen hatte leider – wie bei allen anderen Diebstählen des Wolpertingers auch – nichts gebracht.
Als er wieder losfuhr, bemerkte er einen Strafzettel an seiner Windschutzscheibe und dachte sich spontan: „Haben die denn nichts Besseres zu tun, als einen ihrer Kollegen aufzuschreiben?“ Er wendete am Schlossplatz und fuhr die Kanalstraße wieder hinauf. Da fiel es ihm plötzlich wieder ein: Trug nicht sein ehemaliger Kollege Wanninger auch ein Goldkettchen? Aber was war das noch mal für ein Kettchen? Specht hatte es nicht vor Augen. Er hoffte so sehr, dass Wanninger nicht in diesen Fall verwickelt war. Denn er mochte Erwin wirklich gerne. Morgen würde er schlauer sein ...

Um 3.00 Uhr morgens lag Specht in seinem Bett, wälzte sich hin und her und konnte nicht schlafen. Er stand auf und ging in seiner Wohnung auf und ab. Als er das Fenster passierte, schaute er hinaus. Es regnete in Strömen, das passte zu seiner derzeitigen Stimmung. Er dachte angestrengt über seinen Fall nach und hoffte, dass die restlichen Stunden bis 6.00 Uhr schnell vergingen. Dann wollte er ins Büro gehen, vielleicht hatte die Nachtschicht der Spurensicherung in Sachen Kettchen schon ein Ergebnis gebracht. Specht knabberte an einem Schokokeks. Wenn er nervös war, halfen ihm am besten Süßigkeiten, um ruhiger zu werden. Und dass er schon seit einiger Zeit nervös war, zeigten mittlerweile seine Hosen, die immer enger wurden. Er nahm sich vor, endlich mal wieder etwas für seinen Körper zu tun – sobald er den Täter gefasst hatte. Sein Handy klingelte und riss ihn aus den Gedanken.

Übung 65: Ergänzen Sie die fehlenden Formen!

ÜBUNG 65 !

1. ___________	___________	hat geholfen
2. aufstehen	___________	___________
3. ___________	rief	___________
4. ___________	fand	___________
5. kennen	___________	___________
6. ___________	___________	hat ausgeschnitten

„Wer um Himmels Willen ruft mich denn um diese Zeit an? Das bedeutet sicherlich nichts Gutes“, murmelte er, suchte sein Handy und fand es in seinem Jackett. „Ja, Specht!“
„Paul, ich bin’s.“

„Wer?“ Die Stimme kannte er doch.
„Erwin Wanninger.“
„Erwin, um diese Zeit. Was ist denn passiert?“
„Paul, wie weit bist du im Wolpertinger-Fall?“
„Wie bitte?“
„Ich habe da nämlich so einen Verdacht.“
„Erwin, du rufst mich zu nachtschlafender Zeit an, um mir zu sagen, du hättest da so einen Verdacht?“
„Ja, weil mir gerade etwas sehr Wichtiges eingefallen ist. Wie du weißt, interessiert mich dieser Fall. Das konntest du ja in meinem Ringbuch nachblättern. Ich habe alle Presseberichte, die ich über den Wolpertinger fand, ausgeschnitten und gesammelt. Das hat auch einen Grund: Ich habe mich schon immer für Psychologie interessiert, vor allem für die Psyche von Serientätern.“
„Du wirst mir immer unheimlicher, davon wusste ich ja gar nichts.“
„Du weißt noch Vieles nicht von mir.“
„Das scheint mir auch so“, erwiderte Specht. Ihm kamen Wanningers Verhalten und die Dinge, die er in seinem Hotelzimmer gefunden hatte, höchst seltsam vor. Und er kam einfach nicht von dem Gedanken los, dass sein ehemaliger Kollege etwas mit diesem Fall zu tun hatte.
„Außerdem, Paul, wer einmal bei der Polizei war, der kann sich das Schnüffeln nicht so schnell abgewöhnen. Was hältst du davon, wenn wir uns morgen Nachmittag im Präsidium treffen? Ich habe mich schon erkundigt, ich würde mit dem Zug einen kleinen Ausflug von Prien nach München machen.“
„Also gut! Ich erwarte dich dann in meinem Büro“, antwortete Specht bestimmt. Er war wahnsinnig neugierig darauf, was Wanninger ihm zu sagen hatte. „Erwin, noch eine Frage. Wann hast du eigentlich Geburtstag?“

„Paul, hast du Angst, meinen Geburtstag zu verpassen? Das finde ich ja nett zu so später Stunde. 22.11., ich bin Skorpion. Hätte ich mit meiner Geburt noch einen Tag gewartet, könnte ich mit Agathe feiern, sie hat nämlich am 23.11. Geburtstag und ist Schütze. Also, du hast noch viel Zeit, mir ein Geschenk zu besorgen. Hahaha, dann bis morgen."
Specht hatte einen Kloß im Hals. So sehr wie Erwin seine Frau liebte, traute er es ihm ohne Frage zu, dass er eines ihrer Kettchen trug.

Übung 66: Setzen Sie die Verben vom Passiv ins Aktiv!

ÜBUNG 66 !

1. Der Fall muss aufgeklärt werden.

Man ____

2. Der Täter wird gefunden werden.

Man ____

3. Das Haus war bereits durchsucht worden.

Man ____

4. Specht wurde angerufen.

Man ____

5. Der Kuchen ist von der Sekretärin gebacken worden.

Die Sekretärin ____________________________________

Am Morgen traf Specht zur Lagebesprechung im Büro seines Chefs, Herrn Huber, ein.
„Herr Specht, die Sachlage ist nach wie vor sehr unbefriedigend.

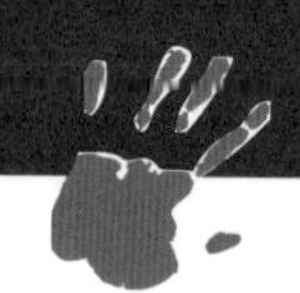

Sollten Sie den Fall nicht innerhalb des Ultimatums, das ich Ihnen gestellt habe, aufklären, werde ich Sie abziehen. Vielleicht sollte sich jemand anderes der Sache annehmen. Ich denke da an den überaus erfolgreichen Kollegen Brixen. Er hat mich schon darauf angesprochen, und ich bin mittlerweile der Überzeugung, dass er ein wenig geschickter an den Fall herangehen würde, als Sie es tun."

„Herr Huber, Sie wissen doch, dass ...", doch Specht konnte seinen Satz nicht beenden.

„Ich habe Ihnen deutlich gesagt, dass ich mit meiner Geduld bald am Ende bin. Ich will Erfolge sehen und nicht ständig von Ihnen hingehalten werden!"

„Wenn Sie meinen!"

„Ja, ich meine! Machen Sie es gut, Herr Specht, und denken Sie an das, was ich Ihnen gesagt habe."

„Na dann, noch einen schönen Tag." Und noch während er zur Tür ging, dachte er daran, sein eigenes kleines Büro zu eröffnen: Privatdetektiv Specht. Eine hübsche Assistentin würde er haben, vielleicht Eva Hansen, und viel Geld würde er verdienen. Dieser Gedanke tat ihm immer gut. Doch in Wirklichkeit liebte er seinen Job bei der Kripo und konnte sich gar nicht vorstellen, irgendetwas anderes zu machen. Und das Geld, das war ihm nun wirklich nicht so wichtig.

ÜBUNG 67 !

Übung 67: Finden Sie das schwarze Schaf!

1. Specht, Amsel, Meise, Katze
2. Job, Arbeit, Einstellung, Beruf
3. Küche, Kantine, Mensa, Cafeteria
4. Gespräch, Dialog, Konversation, Getratsche
5. Nase, Hals, Augen, Ohren

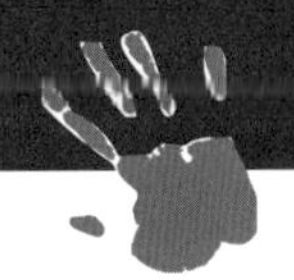

„Herr Specht, was ist denn los? Sie sind ja ganz blass.“ Dann wurde Waltraud Waldbauer etwas leiser im Ton und fing geradezu an zu flüstern: „Nun lassen Sie sich mal nicht unterkriegen, Sie wissen doch mittlerweile wie er ist, er meint es nicht so.“
„Schon gut! Danke für Ihren Zuspruch.“ Wahrscheinlich wusste Hubers Sekretärin besser über seinen Stand im Kommissariat Bescheid als er selbst. Er hoffte nur, dass sie nicht tratschen würde, denn das machte sie sehr gerne. Bisher war ihm das immer egal gewesen. Doch nun, da es um seine eigene Person ging, sah das Ganze schon wieder anders aus. Mit einem gequälten Lächeln verließ er das Zimmer und ging in sein Büro.

Übung 68: Finden Sie fünf Fehler!

ÜBUNG 68 !

„War's schlimm?“
„Frau Hansen, Sie sind zwar noch nicht lange bei uns, aber Sie kennen doch unseren Cheff ...“, er hatte keine Lust viel mehr dazu zu sagen.
„Stimmt es, das dieser Schnösel Brixen den Fall übernehmen soll, wenn Sie ihn nicht innerhalb Hubers Ultimatum lösen können?“
„Woher wißen Sie das?“, empörte sich Specht.
„Na, von Hubers Sekretärin. Aber sie hat es ausschließlich mir erzählt, ganz vertraulich selbstverständlich. Wir waren gestern mittag zusammen in der Kantine.“
„Na toll, die Ratschkatel vom Dienst.“
„Ratschkatel?“
„Keine Anung, wie ihr Norddeutschen dazu sagt, ich hätte auch Waschweib sagen können.“

„Schon wieder etwas dazugelernt. Aber eigentlich ist sie eine gute Seele und meint das gar nicht so."
„Das weiß ich schon, nur hilft mir das auch nicht weiter. Es gehört sich nicht, Personalgespräche auszuplaudern. Ich hätte fast Lust, mich über sie zu beschweren."
„Nun seien Sie mal nicht so, Herr Specht. Übrigens, hier ist der Bericht von der Spurensicherung."
„Geben Sie her, darauf warte ich schon." Als Specht den Bericht in seinen Händen hielt, war er auch schon wieder ganz in seinem Element.
„Wunderbar, sie haben Fingerabdrücke gefunden! Frau Hansen, lassen Sie alles andere liegen und gehen Sie mit den Kollegen die Verbrecherkartei durch."

ÜBUNG 69 !

Übung 69: Setzen Sie ein! ***(mitgedacht, anzurufen, würde, duzten, hinterlassen, schaute, wählte, vergangen)***

Doch auch als er Stunden später nachfragte, hatte der Vergleich der Fingerabdrücke mit denen aus der Kartei noch nichts ergeben. Specht 1. _______ aufgeregt zur Uhr. Er hatte schon etliche Male versucht, Wanninger auf seinem Handy anzurufen, doch leider ohne Erfolg. Nachdem er ihm mehrere Male auf die Mailbox gesprochen hatte, beschloss er Wanningers Frau 2. _______. Wo hatte er nur die Telefonnummer? Specht 3. _______ die Kurzwahl seiner Sekretärin und bat sie, im Kurhotel Prien anzurufen und Frau Wanninger zu verlangen.

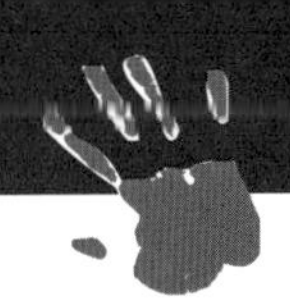

„Frau Wanninger ist gerade bei einer Behandlung, Herr Specht. Ich habe aber unsere Telefonnummer und meinen Namen 4. ______ mit der Bitte, sie möge sich bei uns melden."

Specht kam in den Sinn, dass Agathe ein schwaches Herz hatte. Hoffentlich 5. _______ sie sich nicht gleich aufregen, wenn sie die Nummer der Polizei sah, denn die kannte sie sicherlich auswendig. „Aber meine Frau Hansen hat gut 6. _______, als sie nur ihren Namen und die Telefonnummer hinterlassen hat", dachte er.

Es war eine halbe Stunde 7. _______, als sich Agathe Wanninger endlich bei ihm meldete.

„Hallo Agathe", begrüßte er sie, denn seit Erwins Abschied vom Präsidium 8.________ sie sich.

„Hallo Paul, du wolltest mich sprechen. Ist etwas mit Erwin?", fragte sie besorgt.

„Nein, nein, ich wollte nur mal nachfragen, ob Erwin seine Reise nach München vielleicht nun doch nicht angetreten hat. Hier ist er bis jetzt noch nicht angekommen, und im Hotel ist er auch nicht erreichbar. Ich habe es auch schon zweimal auf seinem Handy probiert." Das war eine Lüge, denn er hatte bestimmt schon zehn Mal versucht, ihn zu erreichen.

„Aber natürlich ist er nach München gefahren. Schon mit dem Zug um 5.30 Uhr heute Morgen. Er wollte einiges erledigen, erst einen Kollegen, das heißt auch ehemaligen Kollegen, und dann dich besuchen. Ich wundere mich, dass er noch nicht bei dir ist."

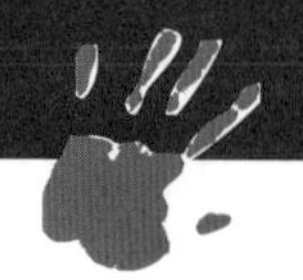

„Er hat sich sicherlich nur verspätet. Weißt du, welchen ehemaligen Kollegen er noch besuchen wollte?“
„Das weiß ich nicht, das heißt, ich habe es schon wieder vergessen. Erwin hat es mir nur beiläufig erzählt. Ich kann mich zur Zeit so schlecht konzentrieren und Erwin will mich nicht belasten. Müller, Meier, nein äh ..., ich komme einfach nicht darauf. “
„Hat er denn sein Handy dabei?“
„Eigentlich geht er nie ohne Handy aus dem Haus. Eine alte Angewohnheit ...“
„Nun gut, ich werde auf ihn warten. Sollte dir der Name des ehemaligen Kollegen noch einfallen, dann melde dich bitte.

ÜBUNG 70 !

Übung 70: Setzen Sie den Artikel ein und bilden Sie den Plural!

1. ____ Safe die __________
2. ____ Geld die __________
3. ____ Vorzimmer die __________
4. ____ Landwirt die __________
5. ____ Kuh die __________
6. ____ Gegend die __________

Als Agathe nach einer weiteren Stunde nochmals anrief, war Wanninger immer noch nicht aufgetaucht.
„Paul, ist Erwin nun bei dir?“
„Nein, leider noch nicht.“
„Also, nun mache ich mir wirklich langsam Sorgen, es ist jetzt schon 17.30 Uhr. So kenne ich ihn gar nicht. Bei mir hat er sich auch nicht gemeldet. Es wird doch nichts passiert sein ...“

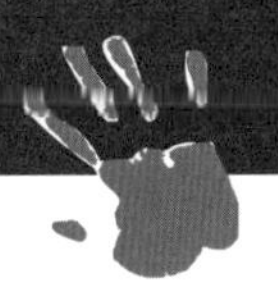

„Nun reg dich nicht auf! Vielleicht ist er länger in der Stadt aufgehalten worden, um dir noch mal so ein glitzerndes Geschenk zu besorgen, vielleicht ja diesmal bei Cartier."
Der Gedanke an den teuren Schmuck, den er im Hotelsafe von Wanninger gefunden hatte, ließ ihn nicht los. Wie konnte sich ein einfacher Mensch so etwas leisten? Doch er wusste mittlerweile, dass der Schmuck regulär gekauft worden war.
„Paul, was denkst du von uns? Wir baden doch nicht in Geld. Ich wollte das Geschenk zuerst auch gar nicht annehmen ..."
„Agathe, wir machen das so: Sobald sich Erwin bei mir meldet, werde ich dich anrufen."
„Versprochen?"
„Du kannst dich auf mich verlassen. Also dann ..."
„Halt, leg bitte noch nicht auf, mir ist der Name des Kollegen eingefallen. Er heißt Schuster, wir kannten ihn damals recht gut."
„Danke, Agathe, bis dann."
Schuster, Schuster, ging es ihm durch den Kopf. Er konnte sich an keinen Kollegen namens Schuster erinnern. Er ging ins Vorzimmer und bat seine Sekretärin, die Personalakten der ehemaligen Kollegen nach dem Namen Schuster zu durchsuchen.
„Ab welchem Jahr?"
„Gehen Sie mal acht, nein, fünfzehn Jahre zurück."
„Okay. Dann mache ich mich mal an die Arbeit."

Übung 71: Schreiben Sie die Sätze neu. Beginnen Sie mit dem Nebensatz!

ÜBUNG 71 !

1. Er bat seine Sekretärin zu suchen, weil er Informationen brauchte.

____

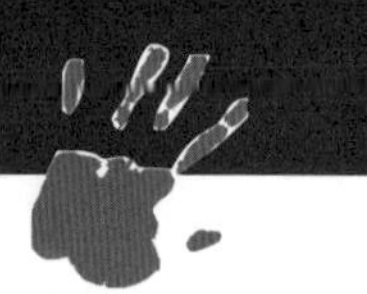

2. Er wollte nicht glauben, dass Wanninger etwas damit zu tun hatte.

____

3. Er würde Agathe anrufen, sobald sich Erwin gemeldet hatte.

____

4. Die Sekretärin griff zum Telefon, kaum dass er draußen war.

____

„Frau Hansen, ich habe Sie gar nicht gefragt, aber ich glaube, dass heute eine Nachtschicht anstehen wird, könnten Sie denn ...“
„Aber natürlich bleib ich länger. Für Sie mache ich das doch gerne. Und so viel Arbeit ist es gar nicht, dank des Computers.“
„Danke“, er lächelte sie an. Einen kurzen Moment dachte er an den Porsche fahrenden Typen, der sie schon ein paar Mal abgeholt hatte, lenkte sich aber schnell wieder ab. Er hatte schon genügend Probleme am Hals.
Als Eva Hansen um 19.00 Uhr ins Zimmer trat, war Erwin Wanninger immer noch nicht da.
„Ich habe etwas gefunden!“, jubelte sie, als sie vor Spechts Schreibtisch stand.
„Na, dann zeigen Sie mal, was Sie da haben.“

ÜBUNG 72 !

Übung 72: Setzen Sie die Präpositionen ein! ***(von, bei, in, bei, vor, ohne)***

„Leider taucht der Name Schuster viermal 1. ____ der Kartei auf. Ich habe bereits alle Adressen überprüft“, meinte sie stolz. Sie setzte sich 2. ____ Aufforderung auf den Besucherstuhl und schlug die Beine übereinander. „Da hätten wir als erstes Maximilian Schuster, er war ein halbes Jahr Assistent 3. ____ Herrn Wanninger. Er kommt aber nicht infrage, weil er 4. ____ einem Jahr 5. ____ einem Autounfall ums Leben gekommen ist. Beatrix Schuster war Zweitsekretärin und arbeitete halbtags bei Wanninger. Sie hat einen Landwirt geheiratet, lebt seit Jahren in Königsdorf, genauer gesagt in Schönrain, und ist mittlerweile Mutter 6. ____ Fünflingen.

„Da sagen sich die Kühe gute Nacht. Idyllische Gegend, dahin sollten Sie mal einen Ausflug machen", bemerkte Specht.
„Wenn Sie mir persönlich den Weg zeigen!"
Der Kommissar wurde ganz verlegen.
„Äh, wohnt denn keiner von denen in München?"
„Nun lassen Sie mich doch weiterreden", sagte sie aufgeregt. Es klang so, als hätte sie ihren Trumpf noch nicht ausgespielt. „Bernhard Schuster ist Frührentner, ledig und lebt in München-Giesing. Er wurde von Wanninger praktisch hinausbefördert, weil er oft zu übereifrig war. In den Akten steht, dass er sogar einmal einen Tatverdächtigen verprügelt hat, um ihn geständiger zu machen."
„Haben Sie die genaue Adresse?"
„Ja, natürlich", antwortete Eva Hansen selbstsicher, „Humboldtstraße 25."
„Diesem Herrn werde ich mal einen Besuch abstatten."
„Halt, ich bin noch nicht fertig. Es gibt auch noch einen Salvatore Schuster." Specht schaute sie etwas irritiert an.

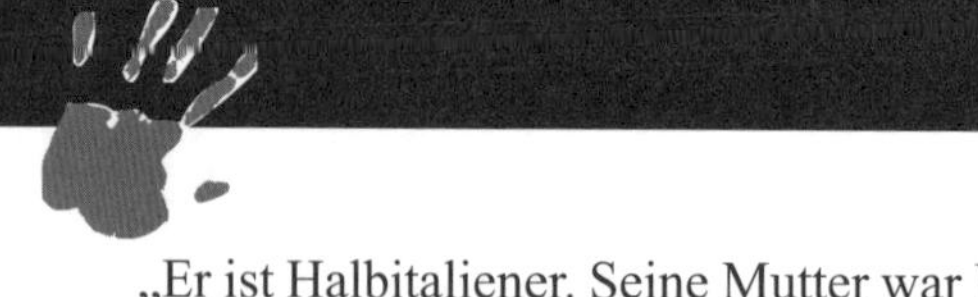

„Er ist Halbitaliener. Seine Mutter war Italienerin, sein Vater Deutscher, beide leben nicht mehr. Er ist 36 Jahre alt. Seine derzeitige Arbeitsstelle ist nicht bekannt, er war Inspektor z. A., was immer das heißt. Er wurde vom Dienst suspendiert."

„Z. A., das heißt zur Anstellung. Und warum wurde er suspendiert?"

„Aha, man lernt doch nie aus. Na ja, er hat sich von einem Drogendealer bestechen lassen."

„In was für einer Welt leben wir bloß? Ein Polizist, der sich bestechen lässt ... Und ich dachte, so etwas gibt's nur im Film."

ÜBUNG 73 !

Übung 73: Setzen Sie in den Dativ!

1. ein gerötetes Gesicht ______________________
2. diese Adresse ______________________
3. große Sorgen ______________________
4. der schlaue Kommissar ______________________
5. das erste Zeichen ______________________

„Dieser Salvatore war anscheinend ein erfolgreicher und aufstrebender junger Mann, denn Wanninger wollte ihn zu seinem Assistenten ernennen", referierte sie weiter.

„Haben wir seine Adresse?"

„Die kriege ich noch raus, das verspreche ich Ihnen. Geben Sie mir noch eine Viertelstunde."

„Ja, Miss Marple!"

„Hey, machen Sie sich lustig über mich?"

„Nein, Frau Hansen, ganz im Gegenteil. Es macht Spaß, mit Ihnen zu arbeiten, das sage ich eigentlich viel zu selten."
Mit einem leicht geröteten Gesicht verließ sie Spechts Büro.

Übung 74: Setzen Sie die fehlenden Formen ein!

1. gerötet	________	am ________
2. ________	unruhiger	am ________
3. ________	________	am schmutzigsten
4. idyllisch	________	am ________
5. selten	________	am ________

Als er um 19.20 Uhr immer noch kein Zeichen von Wanninger erhalten hatte, wurde Specht unruhig. Er versuchte nochmals, ihn per Handy zu erreichen, doch wieder ohne Erfolg. Bis 20.00 Uhr würde er warten und dann erneut bei Agathe anrufen.
„Herr Specht, es ging schneller als gedacht. Ich habe die Adresse von Salvatore Schuster. Er wohnt in München-Perlach, Karl-Marx-Ring 6. Er lebt mit seiner Schwester dort. Außerdem habe ich herausbekommen, dass damals bei ihm zu Hause 200 Gramm Kokain gefunden wurden."
„Wie kann man nur freiwillig sein Leben so kaputt machen?", murmelte Specht und schüttelte den Kopf. Er grübelte und meinte dann: „Irgendwie kommt mir diese Adresse bekannt vor."
„Wie das?"
„Das weiß ich jetzt auch nicht, es fällt mir aber bestimmt wieder ein. Ich werde noch bis 20.00 Uhr warten, dann fahre ich los und

werde die beiden Schusters aufsuchen."
„Hat das nicht bis morgen Zeit?"
„Sollte Wanninger bis 20.00 Uhr kommen, ja. Wenn nicht, fahre ich los."
„Wenn Sie wollen, begleite ich Sie."
„Wir werden sehen." Eigentlich meinte er: „Natürlich dürfen Sie mich begleiten, sehr gerne sogar", doch manchmal gerieten einfach die falschen Worte in seinen Mund.
„Mir fällt noch etwas ein, bitte recherchieren Sie doch die Geburtstage beziehungsweise Sternzeichen der beiden Schusters."

Um 20.30 Uhr saß Specht allein im Auto. Wanninger war immer noch nicht aufgetaucht und hatte sich auch telefonisch nicht gemeldet. Auch seine Frau hatte nichts von ihm gehört und machte sich große Sorgen. Specht hatte Eva Hansen mit ihr sprechen lassen, die ein gutes Händchen für solche Angelegenheiten hatte. Specht fuhr die erste Adresse an. Was ihn nachdenklich machte, war die Tatsache, dass beide Schusters das Sternzeichen Schütze hatten. Diese beiden Typen wollte er sich erst einmal anschauen und sich einen Eindruck verschaffen.

ÜBUNG 75 !

Übung 75: Ergänzen Sie die Artikel und bilden Sie aus den zwei Wörtern eins!

1. _____ Stern _____ Zeichen ____________________
2. _____ Klingel _____ Schild ____________________
3. _____ Fuß _____ Matte ____________________
4. _____ Nachbar _____ Tür ____________________

5. _____ Sport _____ Hose ____________________

6. _____ Wohnzimmer _____ Tisch ____________________

Die Humboldtstraße 25 war ein heruntergekommenes Haus aus den fünfziger Jahren – hier wohnte Bernhard Schuster. Auf dem Klingelschild war der Name zerkratzt und kaum noch lesbar. Die Haustür stand offen. Auch der Hausflur machte einen schäbigen und schmutzigen Eindruck. Da es keinen Aufzug gab, ging Specht die enge Treppe nach oben. Die Wände waren mit Graffitis bedeckt, und harte Rockmusik kam aus einer der Wohnungen. „Hier müssen recht junge Leute leben", dachte sich Specht. Schuster wohnte im vierten Stock. Eine abgetretene und völlig abgewetzte Fußmatte, auf der WILLKOMMEN stand, lag vor der Tür. Er klingelte. Doch nichts rührte sich. Er klingelte nochmals und klopfte gegen die Tür.
„Herr Schuster, sind Sie da?"
Die Nachbartür wurde geöffnet und eine alte Frau mit zerzausten Haaren schaute heraus. Sie schrie: „RUHE!" und knallte die Tür wieder zu.
Dann endlich tat sich etwas in Schusters Wohnung, er hörte Schritte. Die Tür wurde einen Spalt weit geöffnet, eine Kette war vorgelegt. „Sind Sie Herr Schuster?"
„Was wollen Sie?" Ein älterer Herr in Unterhemd und einer alten verwaschenen Sporthose schaute ihn misstrauisch an.
„Mein Name ist Specht, Kripo München. Spreche ich mit Herrn Bernhard Schuster?"
„Kripo?"
„Herr Schuster, bitte lassen Sie mich kurz eintreten, ich habe ein paar Fragen an Sie." Erst als Specht drohte, Schuster müsse ansonsten morgen auf das Präsidium kommen, öffnete er.

Schuster sagte kein Wort, ließ die Tür offen stehen und ging wieder ins Wohnzimmer. Musik war zu hören, Marschmusik. Der Wohnzimmertisch war voller Bierdosen, und der Aschenbecher quoll über. Die Wohnung machte einen ziemlich verkommenen Eindruck.

ÜBUNG 76 !

Übung 76: Bilden Sie das Partizip I!

1. hoffen ______________
2. blamieren ______________
3. wissen ______________
4. reiten ______________
5. bewegen ______________

„Herr Schuster, Sie waren mal bei der Polizei?"
„Erinnern Sie mich bloß nicht daran", seiner Artikulation nach zu urteilen, hatte er offensichtlich zu viel getrunken.
„Sie kennen Herrn Wanninger?"
„Wanninger, dieser Dreckskerl, lebt der noch?"
„Ja, und wir wollen doch hoffen, noch lange. Er ist im Ruhestand. Sagen Sie, Herr Schuster, haben Sie noch Kontakt zu Herrn Wanninger?"
„Sie wissen wohl nicht, was mir Wanninger angetan hat, er hat mich, ach was, er hat mein ganzes Leben ruiniert. Dieser Dreckskerl hat mich vor der ganzen Polizei blamiert. Frühzeitig in den Ruhestand geschickt hat er mich. Mich, ausgerechnet mich, ohne mich seid ihr doch nichts bei der Kripo!"
„Herr Schuster ich möchte die alten Zeiten nicht wieder aufwär-

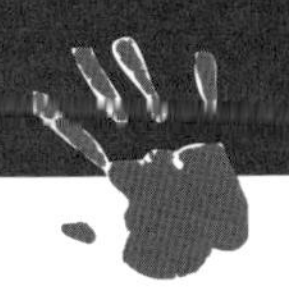

men. Heißt das also, dass Sie keinen Kontakt mehr zu ihm haben?"
„Wenn ich den hätte, würde der nicht mehr leben! Hicks."
„Sie sind nicht verheiratet, oder?"
„Meine Frau, das heißt, das Weib, das ich heiraten wollte, hat mich verlassen, weil sie gehört hat, dass ich einen von diesen Verbrechern verprügelt habe. Ihr seid alles Verräter! Ich hasse euch alle!"
„Herr Schuster, ich kenne Sie zwar nicht, aber ich denke, so wie Sie leben", dabei schaute er sich in der Wohnung um, „kann Sie auch keiner lieben. Sie sollten mal wieder etwas sauber machen!"
„Und Sie sollten jetzt abhauen! Hicks."

Übung 77: Setzen Sie die Verben ein! ***(macht, öffnete, lief, bewegte, gibt, sah, denken, hatte, saß, erkundigte, erwiderte, fuhr)***

Specht ging zur Tür, 1. ______ sie und drehte sich noch einmal um, bevor er sie zuzog: „Auch wenn man mal Mist gebaut hat ... Es 2. ______ zwei Arten von Leuten, die einen reiten sich immer weiter hinein und die anderen rappeln sich wieder hoch. 3. ______ Sie mal darüber nach, Herr Schuster. Servus."

Specht 4. ______ wieder im Auto und war sich ganz sicher, keinen Treffer gelandet zu haben. Dieser Mann war unfähig, auch nur irgendetwas zu unternehmen. Er 5. ______ weiter zur nächsten Adresse: Salvatore Schuster, Karl-Marx-Ring 6. Auf dem Weg dorthin rief er nochmals im Büro an und 6. ______ sich bei seiner Sekretärin, ob sich Wanninger gemeldet hatte.

„Nein, hat er nicht, aber seine Frau hat nochmals angerufen, sie 7. ______ sich große Sorgen."

„Ich mir jetzt auch langsam", 8. ______ Specht.

Die Straßen waren wenig befahren. Ein Fußball-Länderspiel, Deutschland – Island, 9. ______ im Fernsehen. Das hätte er sich eigentlich auch gerne angesehen. Noch lieber 10. ______ er natürlich seinen Verein – 1860 München – und den am allerliebsten live. Sein Vater 11. ______ angefangen, ihn zu den Spielen mitzunehmen. Manchmal ging er sogar zu einem Bayern-Spiel, was ein richtiger 60er-Fan eigentlich nicht machte. Bei ihm war es mehr der Lokalpatriotismus, der ihn dazu 12. ______, auch zu solchen Spielen zu gehen.

Salvatore Schuster wohnte in einem der Hochhäuser in Perlach. Als Specht die Nummer 6 gefunden hatte, stellte er das Auto ab und ging auf das Haus zu. „ÜZGÜR, KNAUR, KOSLOVSKI, MACHO, da ... SCHUSTER – klar, weit oben", dachte er, „aber diesmal mit Aufzug." Er fuhr in den zehnten Stock und schaute auf die Klingelschilder.

„SCHUSTER", murmelte er, „da ist es." Er klingelte und es dauerte einige Zeit, bis er eine weibliche Stimme vernahm.

„Wer ist denn da, bitte?"

„Specht, ich hätte gerne Herrn Salvatore Schuster gesprochen."

„Er ist nicht da!"

„Würden Sie bitte die Tür öffnen, ich bin von der Kripo und hätte

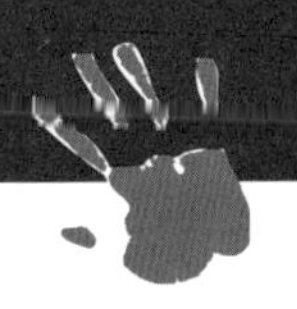

da ein paar Fragen."
„Können Sie mir bitte Ihren Ausweis zeigen?"
„Ja, natürlich!"
Die Tür öffnete sich einen Spalt, auch hier war eine Kette vorgelegt. Was Specht jetzt sah, verblüffte ihn, und gleichzeitig fiel ihm wieder ein, warum er diese Adresse kannte. Maria Schuster, das Hausmädchen der Nowotnys, stand vor ihm.
„Wir kennen uns", sagte sie.
„Ja, wir kennen uns, Sie arbeiten doch für die Nowotnys."
„Ja", sie machte die Tür zu, um die Kette zu lösen und bat ihn freundlich herein. Mit einem hochgebundenen Turban und einem weißen bodenlangen Bademantel stand Maria barfuß vor ihm.
„Bitte entschuldigen Sie, ich komme gerade aus der Badewanne."
„Nein, nein, ich muss mich wohl eher entschuldigen!"
„Kein Problem, gehen wir ins Wohnzimmer. Darf ich Ihnen etwas anbieten? Wasser, Bier oder Kaffee."
Ein Bier hätte er jetzt gerne getrunken, doch er war noch im Dienst. „Nein danke, machen Sie sich keine Umstände."

Übung 78: Bilden Sie das Partizip II!

ÜBUNG 78 !

1. können ________________
2. passieren ________________
3. verdienen ________________
4. wissen ________________
5. anstellen ________________
6. bekommen ________________

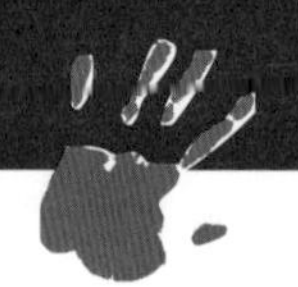

„Was kann ich für Sie tun? Haben Sie noch Fragen wegen des Diebstahls? Und warum haben Sie nach meinem Bruder gefragt?"
„Eigentlich stelle ich die Fragen", sagte Specht und schaute sich dabei in der Wohnung um. Es war alles sehr ordentlich, kein Staubkörnchen war zu sehen. „Sie wohnen mit Ihrem Bruder hier?"
„Ja, mit Salvatore, ist etwas passiert?", fragte sie und riss dabei erschrocken ihre Augen auf. Sie hatte schöne dunkelgrüne Augen, wie Specht fand.
„Nein, ich wollte nur mal kurz mit ihm sprechen."
„Er ist nicht hier und ich weiß nicht, wann er zurückkommt. Er hat eine Freundin, wissen Sie, da kommt er nicht jeden Abend nach Hause."
„Wie schön für ihn", bemerkte Specht und dachte kurz an Eva Hansen. Doch sofort redete er in strengem Ton weiter: „Ihr Bruder ist ja ein ehemaliger Kollege, wie ich den Akten entnehmen konnte. Er war mal bei der Polizei."
„Ja, das war er. Aber das ist schon lange vorbei. Sie wissen doch sicher, dass er entlassen wurde, weil er ...", sie stockte.
„Ich weiß. Was macht Ihr Bruder jetzt?"
„Er arbeitet sehr viel, hat aber bisher, trotz seiner Bemühungen, keinen festen Job bekommen. Er arbeitet als Gärtner, Hausmeister, Türsteher und manchmal auch bei einem Wachdienst."

ÜBUNG 79 !

Übung 79: Setzen Sie das Relativpronomen ein!

1. Sie war das Dienstmädchen, _____ bei den Nowotnys arbeitete.

2. Sie hatte grüne Augen, _____ Specht sehr gefielen.

3. Die Wohnung, in _____ er sich befand, war sehr ordentlich.

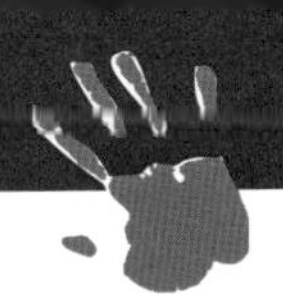

4. Sie kannte die neue Freundin, bei _____ ihr Bruder war, noch nicht.
5. Er setzte sich wieder in den Wagen, in _____ er gekommen war.
6. Die Überlegungen, mit _____ Specht konfrontiert war, gefielen ihm nicht.
7. Er wollte in einem festen Job arbeiten, _____ er aber noch finden musste.

„Verdient er denn da genügend?"
„Ja, und ich verdiene ja auch. Wissen Sie, wir halten zusammen, und zu zweit schaffen wir das alles auch. Er findet ganz sicher bald einen festen Job, und wenn er wieder fest angestellt ist, geht es ihm bestimmt auch wieder besser."
„Geht es ihm denn schlecht?"
„Nein, das wollte ich damit nicht sagen, aber dieser Vorfall damals bei der Polizei frustriert ihn nach wie vor. Er hat einen kleinen Fehler gemacht, er war dumm, hatte die falschen Freunde – und mit einem Schlag ist alles vorbei und man kann sein eigenes Gesicht nicht mehr im Spiegel ansehen ...", dabei sah sie Specht ganz traurig an.
„Sagen Sie, hat er noch Kontakt zu seinem ehemaligen Chef, Herrn Wanninger?"
„Nein! Und ich kann mir auch nicht vorstellen, dass er sehr erfreut wäre, ihn wieder zu sehen. Wanninger war es, der ihn damals rausgeschmissen hat. Er hätte nie von ihm gedacht, dass er ihn so hängen lässt."

„Ja, aber was hätte er anderes machen sollen? Ihr Bruder hat sich bestechen lassen."
„Es war nicht richtig, was Salvatore da gemacht hat, das weiß ich auch. Trotzdem hätte er eine Chance verdient."
„Haben Sie die Adresse seiner Freundin?"
„Nein, leider nicht. Er ist ganz frisch verliebt, ich kenne seine neue Freundin noch gar nicht. Aber es macht mich sehr glücklich, dass es ihm gut geht."
„Könnten Sie mir dann Salvatores Handynummer geben?"
„Mein Bruder hat kein Handy. Wir sparen, wo es nur geht. Aber wenn ich ihn sehe, werde ich ihm sagen, dass er sich bei Ihnen melden soll."
„Ja, tun Sie das. Es ist wirklich wichtig. Hier ist meine Karte."

ÜBUNG 80 !

Übung 80: Setzen Sie die Verben im Konjunktiv II ein!

1. Ich (werden) ________ gerne mit Ihrem Bruder sprechen.
2. Ach, wenn er doch nur Arbeit (finden) ________!
3. Wenn ich Sie (sein) ________, riefe ich die Polizei an.
4. (Können) ________ Sie mir bitte helfen?
5. Wenn mein Bruder damit zu tun gehabt (haben) ________, wüsste ich es.

Als Specht schon in der Tür stand, stellte er seine letzte Frage: „Sagen Sie Maria, trägt Ihr Bruder ein Kettchen?"
„Ja, und ich auch, ein Geschenk unserer Großmutter. Aber ich glaube, dass ich das schon Ihrer Kollegin sagte. Sie glauben doch

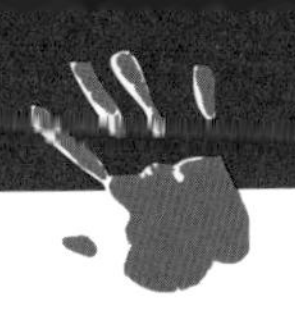

nicht etwa, dass mein Bruder etwas mit dem Diebstahl zu tun hat? Das ist absoluter Unsinn. Außerdem trägt er nach wie vor sein goldenes Kettchen mit dem Schütze-Anhänger, das kann ich bezeugen."

„Bitte entschuldigen Sie, ich wollte hier niemanden beschuldigen."

„Wieder nichts", dachte sich Specht, als er zu seinem Auto ging. Er rief im Büro an.

„Nein, Herr Specht, immer noch nichts Neues."

„Dann gehen Sie jetzt mal nach Hause, Frau Hansen, wir sehen uns morgen. Wanninger hat meine Telefonnummern. Er wird sich hoffentlich bald bei mir melden."

Übung 81: Setzen Sie die Präpositionen ein! ***(um, hinter, auf, mit, bis, auf, ins, mit)***

Er hatte nur ein paar Stunden geschlafen, denn ein weiterer Albtraum hatte ihn schweißgebadet aufwachen lassen. Specht stand auf und dachte an das Ultimatum, das ihm sein Chef gestellt hatte – in nur drei Tagen ging es zu Ende. Er schaute erwartungsvoll 1. _____ sein Handy, in der Hoffnung einen Anruf erhalten zu haben. Vielleicht hatte er ja das Telefon während des Schlafens nicht gehört. Aber – keine neuen Nachrichten. Es war zum Verrücktwerden. Er ging 2. _____ Bad, machte sich einen starken Kaffee und fuhr 3. _____4.30 Uhr ins Büro. 4. _____ auf die

Beamten, die den Nachtdienst übernommen hatten, waren die Flure leer, fast gespenstisch leer. Er ging in sein Büro und arbeitete alle Akten nochmals detailliert durch, drehte die große grüne Filztafel 5. _____ sich um, und fing an, die fein säuberlich beschriebenen Karteikarten 6. ________ den wichtigsten Fakten neu zu ordnen. Die Karten mit den Diebstählen, beziehungsweise den Geschädigten, hängte er mithilfe von Nadeln in eine Reihe. Ansonsten gab es ja keine Beweise, keine Fingerabdrücke, nur diese idiotischen Wolpertinger-Figuren und das Goldkettchen. 7. _____ eine rote Karte schrieb er: TATVERDÄCHTIGE. Das Verzwickte daran war nur, Specht hatte keine Tatverdächtigen, das heißt, doch, einen hatte er. Aber etwas sträubte sich in ihm, den Namen auf dieselbe Karte zu schreiben. Deshalb notierte er ihn, fast vorsichtig, auf eine weitere grüne Karte: WANNINGER. Aber wohin sollte er sie hängen? Und was war 8. _____ diesem Bernhard Schuster? Nein, den konnte er streichen. Und Salvatore Schuster hatte er noch nicht kennen gelernt. Doch eigentlich versprach er sich davon auch nicht viel.

Specht war über die Akten gebeugt, als die Tür aufging. 6.15 Uhr zeigte seine Armbanduhr, die er meist, eine alte Angewohnheit,

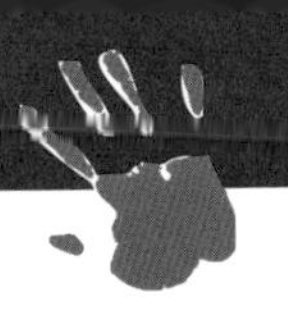

nicht am Handgelenk trug, sondern neben sich auf den Schreibtisch legte. „Was machen Sie denn schon hier?“
„Wie wäre es zunächst einmal mit einem guten Morgen?“
Eva Hansen sah immer gleich hübsch aus, ob am frühen Morgen oder späten Abend, dachte er sich bei ihrem Anblick, dennoch antwortete er brummig: „Wäre schön, wenn es zur Abwechslung mal ein guter Morgen würde.“
„Oh, schlechte Laune. Aber ich kann Sie verstehen. Ich werde Ihnen erst einmal ein Frühstück zur Stärkung machen. Dann sieht die Welt gleich ganz anders aus.“
Währenddessen drehte sich Specht um und starrte stumm auf seine Tafel. In diesem Augenblick klingelte sein Handy.
„Paul“, klang es völlig aufgelöst am anderen Ende. „Erwin hat nicht im Hotel übernachtet. Er hat mich nicht angerufen. Es muss etwas passiert sein. Ich weiß es. So etwas hat er noch nie gemacht.“
„Nun beruhige dich doch, Agathe. Vielleicht hat er mit seinem ehemaligen Kollegen ein bisschen zu tief ins Glas geschaut, glaub mir, ich weiß wie das ist, da kann es schon mal passieren, dass ...“
„Nein, nicht bei meinem Erwin. Bitte, Paul, so tu doch etwas.“
„Agathe, Erwin ist ein erwachsener Mann und hart im Nehmen, dem passiert so schnell nichts. Aber ich verspreche dir, ich werde mich darum kümmern. Sag mir bitte noch einmal ganz genau, wann und wie er nach München kommen wollte.“
„Gestern mit dem Zug um 5.30 Uhr.“
„Gut, danke. Bitte versprich mir jetzt, dass du ruhig bleibst. Und ruf mich an, wenn er sich bei dir meldet, Agathe.“ Er machte eine Pause. „Ich werde mich später von unterwegs aus bei dir melden. Keine Sorge, ich kümmere mich um die Sache!“
Er hörte nur noch ein Schluchzen und ein leises: „Bis dahin, Paul!“

Übung 82: ***nicht, nichts*** *oder* ***kein****? Ergänzen Sie!*

1. Paul hatte ________ von Erwin gehört.
2. Auch Erwins Frau wusste von ________.
3. Hatte Paul ________ Interesse an Eva Hansen?
4. Der Täter war einfach ________ zu finden.
5. Paul hatte ________ Hunger.
6. Eva hatte auch ________ genügend Hunger, um etwas zu essen.

„Aber vielleicht verkauft er auch gerade seine Beute oder ist dabei, einen neuen Diebeszug zu planen", dachte sich Specht, riss sich aber schnell wieder zusammen. Es war gegen seine Prinzipien, Menschen zu verurteilen, ohne Beweise zu haben. Außerdem hatte sich Erwin Wanninger nie etwas zu Schulden kommen lassen.
Seine Sekretärin kam mit einem Tablett herein und lächelte. „Ich habe Ihnen eigenhändig Butterbrezeln geschmiert, die mögen Sie doch so gerne."
„Das ist nett, aber ich habe absolut keinen Hunger."
„Wenn Herr Specht keinen Hunger hat, ist das ein sehr schlechtes Zeichen", dachte sie sich und atmete kräftig durch.
„Sagen Sie, Frau Hansen, würden Sie Wanninger zutrauen, dass er in diesen Wolpertinger-Fall verstrickt sein könnte?"
„Sie haben ihn wirklich unter Verdacht?"
„Ich weiß es nicht. Einiges spricht gegen ihn. Vielleicht ist er auch nur ein großartiger Schauspieler, von wegen große Liebe, meine Agathe, und hat sich schon abgesetzt. Es sind noch so viele Fragen offen: Wie kann sich ein Beamter, der in Rente ist, so viel Luxus leisten? Wieso sammelt er alle Artikel zu diesem Fall und warum hatte er Wolpertinger-Figuren in seiner Tasche?"

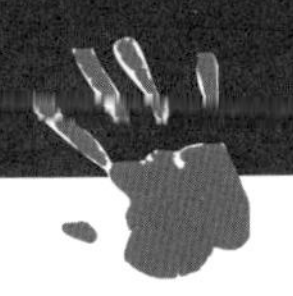

„Na ja, es spricht schon einiges gegen ihn. Aber mein Instinkt sagt mir, dass er es nicht war."
„Ha, das ist gut, Instinkt, am besten noch weiblicher Instinkt", lachte er. „So kann man natürlich auch Kriminalfälle lösen."
„Das finde ich nicht fair! Sie haben mich gefragt und ich habe Ihnen meine Meinung gesagt. Das ist ganz und gar kein Grund, so ironisch zu sein."
„Entschuldigen Sie, ich habe es nicht so gemeint. Vielleicht wächst mir der Fall wirklich über den Kopf, wahrscheinlich ist es doch besser, wenn ihn der Kollege Brixen übernimmt."

Übung 83: Setzen Sie das Verb im Imperativ ein!

ÜBUNG 83 !

1. (reißen) Nun ________ Sie sich mal zusammen!
2. (anrufen) Paul, ________ bitte ___, wenn du etwas erfährst!
3. (glauben) ________ bloß nicht, dass ihr mit dem Verbrechen davon kommt!
4. (essen) ________ doch wenigstens eine Brezel!

„Papperlapapp! Sie hatten zu wenig Schlaf, sind übermüdet und gereizt. Sonst würden Sie nie so etwas sagen. Wenn ich Ihr Freund wäre, würde ich Ihnen jetzt sagen: Mensch Paul, nun reiß dich zusammen, bist doch ein Mann und keine Memme."
„Ist ja gut, ich hab's verstanden. Und Letzteres habe ich nicht gehört, Frau Hansen."
„Na, dann ist ja jetzt alles wieder beim Alten."
Plötzlich klopfte es an der Tür. Beide schauten sich fragend an.
„Ja bitte", sagte Specht in einem strengen Ton.

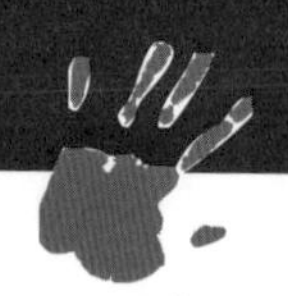

Die Tür ging auf und Maria stand verängstigt vor ihnen. Eva Hansen lächelte ihr aufmunternd zu und wendete sich wieder an Specht: „Ich werde mich dann an die Arbeit machen.“ Sie drehte sich um und ging.
„Bitte entschuldigen Sie die Störung, Herr Specht. Aber ich muss mit Ihnen reden“, sagte Maria kleinlaut.
„Aber dazu bin ich doch da. Setzen Sie sich bitte. Möchten Sie einen Kaffee?“
„Nein, danke.“

ÜBUNG 84 !

Übung 84: ***damit*** *oder* ***um****? Unterstreichen Sie die richtige Alternative!*

1. Maria kam, damit sie mit Paul sprach/um mit Paul zu sprechen.
2. Paul schrieb Karteikärtchen, damit er sie an der Tafel aufhängte/um sie an der Tafel aufzuhängen.
3. Eva hatte Brezeln geschmiert, damit Paul etwas aß/um Paul etwas zu aß.
4. Er nahm sein Handy, damit Erwin anzurufen/um Erwin anzurufen.

„Dann erzählen Sie mal, was Sie auf dem Herzen haben.“
„Herr Specht, als Sie gestern bei mir waren, da ...“
„Ja?“
„Ich wollte Ihnen nochmals sagen, dass mein Bruder Salvatore nichts mit dieser Geschichte zu tun hat. Das müssen Sie mir glauben! Er ist ein guter Mensch.“
„Ist er mittlerweile aufgetaucht?“
„Nein, ist er nicht. Ich mache mir zwar schon Sorgen, aber er ist gerade so verliebt, dass er alles um sich herum vergisst. Und das

ist auch gut so. Er hat es verdient, mal wieder glücklich zu sein."
„Wollten Sie mir das sagen?"
„Ja, nein, es ist ... Ich wollte Ihnen eigentlich erzählen, wie es damals zu dieser Drogensache gekommen ist. Wenn mein Bruder mich jetzt hören würde, er würde mich hassen. Ich musste ihm versprechen, niemandem etwas davon zu erzählen. Wissen Sie, er liebte seinen Beruf als Polizist."
„Das sagten Sie bereits gestern."
„Er hat damals gelogen! Salvatore wurde erpresst! Er hatte eine Freundin, die drogenabhängig war und wollte ihr helfen", Maria bekam ganz glasige Augen. Irgendwie tat sie Specht leid.

Übung 85: Unterstreichen Sie alle Verben im Präteritum!

ÜBUNG 85 !

„Salvatore musste ihr ab und zu Drogen besorgen. Er wollte es natürlich nicht, doch Vanessa, so hieß seine Freundin, hatte wahnsinnige Schmerzen und bettelte ihn solange an, bis er dann ins Rotlichtmilieu gefahren ist. Salvatore ist immer wieder weich geworden. Und dann bekam einer der Dealer heraus, das Salvatore Polizist war. Ja, und ab diesem Zeitpunkt hatte die Bande ihn in der Hand. Sie gaben ihm die Drogen umsonst und er musste dafür die Bande decken. Ob er wollte oder nicht. Er hat nie Geld von diesen Verbrechern genommen, nur die Drogen, und die gab er Vanessa."

„Nur?", erwiderte Specht. „Jemand, der einem anderen Drogen besorgt, ist selbst ein Verbrecher!"
„Er war doch noch so jung. Unsere Eltern starben sehr früh und er hat sich an dieses Mädchen geklammert ..."
„Maria, das ist alles sehr schlimm, aber keine Entschuldigung für sein Vergehen. Er hätte das Mädchen zu einer Entziehungskur

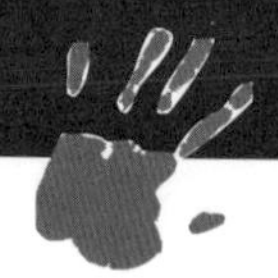

bringen sollen."

„Ach, Herr Specht, was meinen Sie, wie oft er das versucht hat. Sie hat mehrere solcher Kuren abgebrochen."

„Maria, es ehrt Sie sehr, dass Sie Ihren Bruder so in Schutz nehmen. Aber das ist eine alte Geschichte, er hat dafür gebüßt."

„Ja, das hat er. Es war aber nicht fair, ihn so hart zu bestrafen."

„Maria, er war Polizist!"

„Ja, mit der Betonung auf war. Seither hat er sich verändert. Es war schon immer sein Wunsch, seit er ein kleiner Junge war. Wissen Sie, unser Onkel Antonio in Mailand war auch bei der Polizei. Er war sein großes Vorbild. Salvatore hätte richtig Karriere machen können, er stand kurz vor der Ernennung zum Kommissar."

„Ich weiß, ich habe seine Akte gelesen."

ÜBUNG 86 !

Übung 86: Setzen Sie das passende Fragewort ein!

1. ______ hat Salvatore Vanessa versorgt? Mit Drogen.
2. ______ erzählt Maria ihm? Von ihrem Bruder.
3. ______ denkt Specht nach? Über den Wolpertinger-Fall.
4. ______ hofft Maria? Auf Spechts Verständnis.
5. ______ wurde Salvatore bestraft? Für das Besorgen von Drogen.

„Ja, und dann hat ihn dieser Wanninger unehrenhaft entlassen. Das hätte man auch anders machen können."

„Maria, das ist doch längst vorbei."

„Ja, aber Sie wissen nicht, wie sehr es Salvatore gekränkt hat. Aber

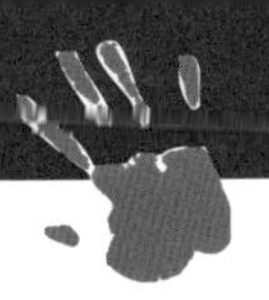

eigentlich bin ich ja auch nur hier, um Ihnen zu sagen, dass er ein anständiger Mensch ist und nie wieder irgendeine Dummheit begehen würde."

„Gut, das habe ich verstanden."

„Und wenn Sie mir nicht glauben, dann fragen Sie doch meine Arbeitgeber. Die können sicherlich nur Gutes über ihn berichten. Die Nowotnys haben sich vor einem Jahr ein kleines Häuschen direkt am Starnberger See – mit einem eigenen Steg und Bootshaus – gekauft. Es war alles sehr heruntergekommen. Salvatore hat sich um die Renovierung gekümmert, sie sollten das Haus jetzt mal sehen! Die Nowotnys verbringen manchmal ihre Wochenenden dort, da der Herr Doktor einen sehr anstrengenden Beruf hat."

Übung 87: Setzen Sie die Pronomen ein! ***(sich, Ihre, mir, mich, mich, ihre, Ihr)***

ÜBUNG 87 !

„Ich auch. Nur leider kann ich 1. _____ keine Hütte am Starnberger See leisten und auch kein Personal, das für 2. _____ arbeitet", dachte 3. ______ Specht, doch laut sagte er: „Das haben mir 4. _____ Arbeitgeber gar nicht erzählt ..."

Maria schaute auf 5. _____ Armbanduhr. „Oh, jetzt muss ich 6. _____ aber auf den Weg machen. Ich möchte nicht zu spät zur Arbeit kommen."

„Sagen Sie, Maria, nur noch eine Frage. Warum arbeitet 7. _____ Bruder eigentlich nicht fest bei den Nowotnys, als Gärtner zum Beispiel?"

„Das haben sie ihm auch angeboten, doch er hat es abgelehnt, weil ...“, sie machte eine Pause.
Specht sah sie prüfend an. „Weil?“
„Frau Nowotny ..., wie soll ich das nur sagen? Wissen Sie, sie mag gut aussehende, sportliche Männer – die ganz anders sind als ihr eigener Mann. Aber darüber erlaube ich mir kein Urteil. Salvatore hat mir erzählt, dass sie ein bisschen zu anhänglich geworden ist ...“
„Aha, verstehe“, meinte Specht etwas selbstgefällig. „So etwas Ähnliches habe ich mir schon gedacht.“ Er wusste, dass er ein guter Beobachter war. Frau Nowotny hatte den Namen des Gärtners aber auch mit einer Hingabe ausgesprochen: Angelo! Außerdem konnte sie relativ gut sein Kettchen beschreiben. Und wie eifersüchtig sie ihr Mann dann angeschaut hatte.
„Salvatore hat es vorgezogen, den Job als Gärtner nicht anzunehmen. Aber in der Ferne zu arbeiten, also das Ferienhaus in Starnberg zu renovieren, das war kein Problem für ihn. Daraufhin stellte Frau Nowotny Angelo ein, der abends noch als Kellner in dem italienischen ...“
„Ja, ja, die Geschichte kenne ich. Und auch Herrn Angelo“, sagte Specht, „der, wie Sie, bereits von uns vernommen wurde.“ Er konnte sich noch gut daran erinnern, wie Eva Hansen dahingeschmolzen war, als dieser Don Juan vor ihr gestanden hatte. Ein großer, gut gebauter, sportlicher Typ mit langen schwarzen Haaren.
„Ein bisschen zu viel Gel“, meinte seine Sekretärin.
Specht dagegen war der Meinung: „Angelo könnte sich mal wieder die Haare waschen.“ Sein Hemd hatte er offen getragen, obwohl es an diesem Tag wirklich sehr kalt gewesen war. „Wahrscheinlich um seine beharrte Brust zu zeigen. Was Frauen nur an solchen Typen finden ...“, fragte sich Specht.

Übung 88: Finden Sie waagerecht dreizehn Verben im Partizip II!

Mediengedachtzghiejekaulsmverdächtigtmautetemgetanmnjipxcf
dehjklöerttungangefangengerugtverhaftetdenktomenspurtungena
gemusstwerfterlosaufgestandenlosfindengeraubterwargeworfen
aufdemgemeldetunsversprochenausgesehentgedurftpunschheftert

„Herr Specht, vielen Dank für das Gespräch. Ich muss jetzt wirklich gehen."
„Ich danke Ihnen, Maria. Und wenn sich Salvatore meldet, soll er sofort bei mir anrufen."
„Ja, ja, ich weiß. Aber Herr Specht, bitte erzählen Sie ihm nichts von unserem Gespräch", dabei sah sie ihn flehend an.
„Versprochen!", erwiderte er in einem väterlichen Ton.
„Ich danke Ihnen."
Sie stand auf und ging. „Nettes Mädel", dachte sich Specht. „Dieser Salvatore kann sich wirklich glücklich schätzen, so eine Schwester zu haben." Er blickte wieder zu seiner Tafel, wobei sich natürlich nichts geändert hatte. „Doch", dachte er, „eigentlich schon". Die Einbrüche, mittlerweile waren es zehn, hatten immer in regelmäßigen Abständen stattgefunden. Entweder hatte das Phantom bereits wieder irgendwo zugeschlagen, oder würde es heute oder morgen tun. Vielleicht war zehn auch die magische Grenze und der Wolpertinger begab sich nun zur Ruhe, setzte sich in die Südsee ab, nach Australien oder Südamerika. Mit seinem bisher erbeuteten Diebesgut konnte er ein mehr als geruhsames Leben führen. Dann würde in Bayern wieder Ruhe einkehren, vielleicht könnte er auch endlich wieder schlafen. „NEIN!", brüllte Specht und schlug mit der Faust auf den Schreibtisch. „Ich werde dich kriegen, das schwöre ich dir!"
„Herr Specht, ist etwas passiert?", Eva Hansen kam aufgeregt zur

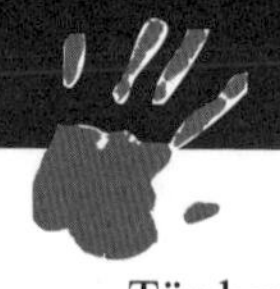

Tür hereingestürmt.
„Nein, nein, nichts, ich hätte gerne noch einen Kaffee."
„Na, das hätte man aber auch anders sagen können", meinte sie spröde. „Übrigens, Herr Specht, ein Gespräch für Sie, Herr Dr. Nowotny."
„Was der wohl will?", fragte sich Specht.
„Herr Kommissar, guten Tag. Entschuldigen Sie die Störung. Aber Maria hat mich darum gebeten, bei Ihnen anzurufen."
„Maria?"
„Ja, Sie wissen schon, Maria Schuster, unsere Hausangestellte."
„Ja, ja, ich weiß, wer Maria ist."

ÜBUNG 89 !

Übung 89: Setzen Sie die Adjektiv-Endungen ein!

„Um mich kurz zu fassen – ich kann Ihnen das auch schriftlich geben – Salvatore, Marias Bruder, ist ein überaus 1. ehrlich__ und 2. zuverlässig__ Mensch. Ich bürge für ihn."
„Das ist schön, Herr Dr. Nowotny. Nur weiß ich im Moment nicht so recht ..."
„Maria ist schon sehr lange bei uns. Wir sind sehr zufrieden mit ihr, sie ist ein 3. fleißig__ Mädchen. Sie hat mich darum gebeten, bei Ihnen anzurufen, verstehen Sie?"
„Ich verstehe", Specht dachte an die 4. zierlich__ Maria mit ihren 5. groß__ 6. kindlich__ Augen. Es war sicher nicht leicht, ihr etwas abzuschlagen.
„Nun gut, dann habe ich ja meinen Beitrag geleistet. Aber eigentlich müsste ich noch eine Vermisstenanzeige aufgeben."
„Eine Vermisstenanzeige. Warum das?"
„Hat Maria Ihnen nicht erzählt, dass Salvatore gestern nicht nach Hause gekommen ist? Er hat sich auch noch nicht bei Maria

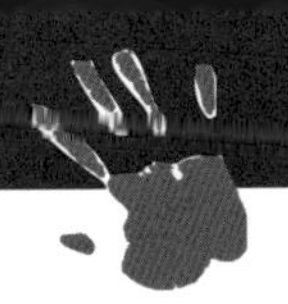

gemeldet. Das macht er sonst nie, meint Maria. Aber unter uns gesagt, er hat eine 7. neu__ Freundin. Ihm fällt jetzt sicher etwas Besseres ein, als mit seiner Schwester zu telefonieren. Hahaha, wahrscheinlich durchlebt er gerade die 8. romantisch__ Phase der Verliebtheit. Es sei ihm gegönnt."

„Ja!", meinte Specht, um zumindest irgendetwas zu sagen. Er fragte sich gerade, ob Nowotny etwas getrunken hatte, denn so gesprächig kannte er ihn bisher noch gar nicht.
„Apropos romantische Zeit", setzte Nowotny nach, „die würde ich am Wochenende auch gerne mit meiner Frau verbringen."
Er hatte also wirklich getrunken. Und seine Frau würde wohl lieber ein romantisches Wochenende mit Angelo verbringen.
„Wissen Sie, Herr Kommissar, wir haben ein kleines Feriendomizil am Starnberger See gekauft. Übrigens: Salvatore hält da draußen alles in Schuss, er hat damals auch die Renovierung übernommen. Ein wahrer Alleskönner, geradezu ein Genie. Da fällt mir wieder ein, eine Vermisstenmeldung wäre schon insofern sinnvoll, weil ich leider meinen Schlüssel für das Haus in Starnberg verlegt habe."
„Entschuldigen Sie, Herr Dr. Nowotny, aber ich denke, das tut nun wirklich nichts mehr zur Sache."
„War auch nur ein Scherz, aber sollte sich Salvatore bei Ihnen melden, wäre es toll, wenn Sie mir Bescheid geben könnten. Ich brauche nämlich wirklich seinen Zweitschlüssel. Hahaha. Entschuldigen Sie, Herr Specht, aber ich bin so glücklich, ich könnte die ganze Welt umarmen. Stellen Sie sich vor, ich habe heute erfahren, dass ich Vater werde!"
„Gratuliere. Dann wünsche ich Ihnen noch einen schönen Tag."
„Den habe ich ganz bestimmt."
„Auf Wiederhören", würgte Specht ihn ab.

ÜBUNG 90 !

*Übung 90: Groß oder klein? Setzen Sie **R** oder **r** ein!*

1. Paul hatte _echt.

2. Er machte es mehr schlecht als _echt.

3. Sie wollte es allen _echt machen.

4. Jetzt wollte er den Täter erst _echt finden.

5. Die Sekretärin wollte nach dem _echten sehen.

Eva Hansen kam ins Zimmer und stellte einen Ordner ins Regal.
„Gehen Sie mit mir in die Kantine?"
„Nein, ich habe keinen Hunger."
„Schade, dann gehe ich allein. Aber es würde Ihnen bestimmt gut tun, etwas zu essen."
„Danke für Ihr Mitleid, aber ich möchte nichts."
Sie rümpfte die Nase, nahm ihre rote Lederhandtasche und zupfte ihren Schal zurecht, den sie sich um die Schultern gelegt hatte.
„Sollten Sie doch gehen wollen, bitte vergessen Sie nicht, das Büro abzusperren. Sonst gibt es wieder Ärger, wenn's der Chef mitkriegt. Ich habe meinen Schlüssel dabei."
„Ja, ja, ich hab Sie verstanden, schon gut!"
Gerade wollte seine Sekretärin das Zimmer verlassen, da schrie er hinter ihr her.
„Halt! Was haben Sie gerade gesagt?"
„Na, dass Sie das Büro abschließen sollen, wenn Sie vielleicht doch noch mal rausgehen möchten. Und auch, dass ich meinen Schlüssel dabei habe, das heißt, ich komme wieder ins Zimmer und an meine Arbeit." „Nun hört er auch noch schlecht", dachte sie bei sich.
„Schlüssel! Schlüssel!"

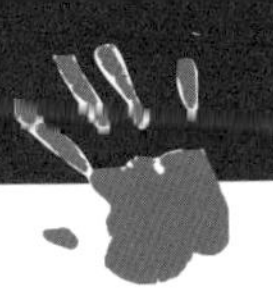

„Äh, Herr Specht, geht es Ihnen nicht gut?"
„Schlüssel ...!"
„Herr Specht, was ist los mit Ihnen?"
Dann sprang er vom Stuhl hoch, rannte auf sie zu und umarmte sie so fest, dass sie nach Luft rang. Die Tür stand immer noch einen Spalt offen und Waltraud Waldbauer ging gerade vorbei, wahrscheinlich war sie auf dem Weg in die Kantine. Bei dem Anblick von Specht und Eva Hansen blieb sie abrupt stehen und starrte sie mit offenem Mund an. Als Specht seine Sekretärin wieder los ließ, sah er Frau Waldbauer verschämt im Flur stehen. Sie blickten sich an. Frau Waldbauer schaute schnell zur Seite, wurde puterrot und ging eiligen Schrittes davon.

*Übung 91: **dass** oder **das**? Setzen Sie ein!*

1. Eva konnte kaum glauben, ____ Paul sie umarmt hatte.
2. Wahrscheinlich war ____ ____ neue Thema, über ____ sie tratschen würden.
3. ____ sie den Täter immer noch nicht hatten, mochte er kaum glauben.
4. Er glaubte nicht, ____ ____ Dienstmädchen etwas damit zu tun hatte.

ÜBUNG 91 !

„Puh, Herr Specht, was war denn das?"
„Eva Hansen, Sie sind ein Schatz!"
„Aber was habe ich denn getan?"
„Sie haben mir vielleicht einen Hinweis gegeben, der uns weiter-

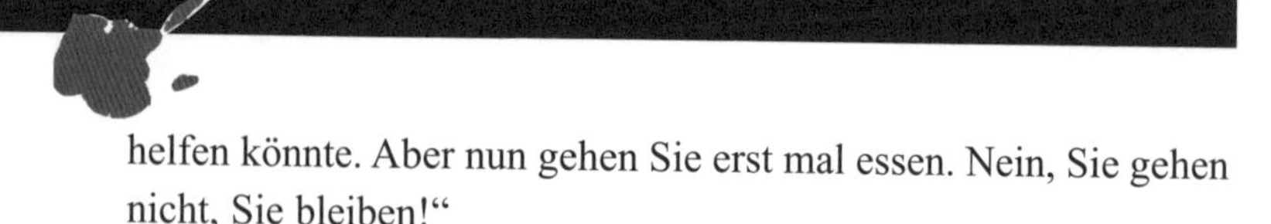

helfen könnte. Aber nun gehen Sie erst mal essen. Nein, Sie gehen nicht, Sie bleiben!“
„Aber ich habe Hunger.“
„Sie werden mich begleiten, Sie bekommen unterwegs dann etwas zu essen. Rufen Sie bei den Nowotnys an und fragen Sie nach der Adresse Ihres Ferienhauses am Starnberger See. Ich hole mein Auto und warte unten auf Sie! Und Eva, sperren Sie das Büro zu.“
Eilig verließ er den Raum.
„Eva!? Er hat mich mit meinem Vornamen angesprochen“, dachte sie sich, „endlich taut er ein wenig auf ...“
Nachdem sie telefoniert hatte, beeilte sie sich, schnell zum Ausgang zu kommen. Specht saß schon im Auto und wartete auf sie.
„Hier bin ich mit der Adresse: Seestraße 15 in Ambach.“
„Sehr gut. Dann mal los.“
Als sie bei ihrem Chef im Auto saß, bemerkte sie, dass er sie das erste Mal mitnahm. „Chef, ich freue mich wirklich sehr, einen kleinen Ausflug mit Ihnen zu machen, vor allem zu meinem Lieblingssee. Aber was machen wir dort?“
„Wir betreiben Recherche.“
„Aha, ich habe auch meinen Block dabei und werde alle Aussagen für Sie notieren. Ha, mein erster richtiger Einsatz. Vielen Dank, dass Sie mich mitnehmen.“
„Ich habe da eine Vermutung, wahrscheinlich machen wir jetzt wirklich nur einen Ausflug, aber es ist einen Versuch wert, meine Nase sagt mir ...“

ÜBUNG 92 !

Übung 92: Setzen Sie den Artikel ein und bilden Sie den Plural!

1. _____ Block die ________________
2. _____ Aussage die ________________

3. _____ Park die _______________

4. _____ Villa die _______________

5. _____ Ufer die _______________

Sie hörte ihm gar nicht mehr richtig zu. „Mein Gott, Herr Specht, Frau Waldbauer hat uns, ich meine Sie, also die Umarmung vorhin ... Sie hat alles gesehen.“

„Na, so viel zu sehen gab es ja nun auch wieder nicht. Eine freundschaftliche Umarmung, was soll sie sich schon groß dabei denken?“

„Na, die wird heute auf jeden Fall ein genüssliches Mittagessen zu sich nehmen.“

„Wie meinen Sie das?“

„Was denken Sie denn, wie heute Mittag über uns geredet wird? Die dichten uns doch sonst was an.“

„Na, das hat mir gerade noch gefehlt. Probleme haben wir ja nun wirklich mehr als genug. Und jetzt auch noch Gerüchte ... Entschuldigen Sie, Frau Hansen, die Umarmung war sehr spontan und sicherlich nicht richtig. Ich wollte Ihnen bestimmt nicht zu nahe treten.“

„Nahe getreten sind Sie mir aber, ziemlich nahe sogar!“ Bei diesem Satz grinste sie.

„Ich verspreche Ihnen, das kommt nie wieder vor!“

„Wie schade, Herr Specht.“

„Ist das nicht herrlich?“, Specht nahm gerade die Ausfahrt nach Starnberg und versuchte, etwas abzulenken. „Nicht mal vierzig Minuten, und man ist in einem riesigen Freizeitpark: idyllische Bauernhäuser, Villen und viele urige Wirtschaften. Wären wir jetzt privat unterwegs ...“

„Ja, Herr Specht?“

Übung 93: Dativ (D) oder Akkusativ (A)? Setzen Sie ein!

„Na ja, dann könnten wir 1. ( ) eine Dampferrundfahrt machen, rüber nach Seeshaupt, da kenne ich 2. ( ) ein schönes Lokal, 3. ( ) in dem es hervorragenden Fisch aus den Voralpenseen gibt. Bei 4. ( ) schönem Wetter kann man draußen unter 5. ( ) uralten Bäumen 6. ( ) am Ufer sitzen und 7. ( ) die Wellen plätschern hören."

„Wie romantisch, aber bei so 8. ( ) einer Dampferfahrt werde ich immer ein bisschen wehmütig und muss an 9. ( ) zu Hause denken."

„Na, so schlimm kann es nicht sein, sonst hätten Sie 10. ( ) Norddeutschland nicht gegen unser wunderschönes Bayern eingetauscht."

„Da haben Sie auch wieder Recht", das sagte sie hauptsächlich, um 11. ( ) die Stimmung zu wahren, denn wenn sie erst einmal anfing, von 12. ( ) Norddeutschland zu schwärmen ...

„So, jetzt müssen wir noch über 13. ( ) die Kreuzung, da vorne geht's nach Ambach. Der Weg bringt uns direkt in 14. ( ) die Seestraße."

„Oh, das ist aber putzig!"

„Putzig? Ganz schön protzig, würde ich sagen. Das nennen die Nowotnys ihr kleines Feriendomizil. Sie bleiben am besten im Wagen."

„Aber Herr Specht ..."

„Keine Widerrede. Wenn ich Sie brauche, hole ich Sie. Okay?!"

„Okay!"

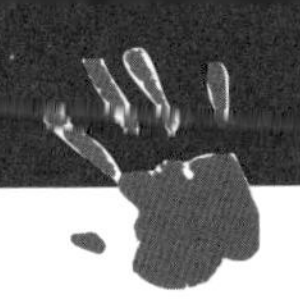

Übung 94: Setzen Sie die Präpositionen ein! ***(zum, vor, an, mit, im, in, mit, zum, mit)***

Specht betrat das Grundstück. Die Wiese war 1. _____ buntem Laub überzogen, das der Wind aufwirbelte. Ein Schild 2. _____ Garten warnte 3. _____ dem bissigen Hund. Doch Specht entschied sich dafür, ein Mann zu sein und ging 4. _____ Haus. Die Fensterläden waren verschlossen. Es sah so aus, als wäre hier monatelang niemand mehr gewesen. „Eigentlich schade", dachte sich Specht. Er ging den Weg hinunter 5. _____ See. Ein Bootshaus 6. _____ einem langen Steg gehörte zum Grundstück. Er betrat den Steg und ging einige Meter hinaus. Die Wellen schlugen sanft gegen das Holz. Specht betrachtete den See und die Landschaft und genoss für einen kurzen Augenblick die Ruhe. „Warum müssen die Leute bloß immer so weit weg 7. _____ den Urlaub fahren, wo es doch in Bayern so schön ist", fragte er sich. Außerdem überlegte er, noch etwas 8. _____ Eva essen zu gehen, eine Schweinshaxe vielleicht ... Er nahm sich vor, in Zukunft viel öfter 9. _____ den See zu fahren, denn bald würde er viel Zeit haben. Die Stunden, bis Huber ihm den Fall entziehen würde, waren gezählt. Und er würde endlich nicht mehr diesem gesichtslosen Wolpertinger-Phantom hinterherhecheln. Sollten doch auch mal andere Leute arbeiten, sich ihren Kopf zerbrechen und nächtelang schuften. Er hatte die Schnauze voll. Specht kehrte um und ging zurück zum Bootshaus.

Plötzlich hörte er ein Poltern im Bootshaus. „Hu, es spukt", witzelte Specht leise vor sich hin. Schnell riss er die Tür auf, konnte aber nichts Außergewöhnliches entdecken. Ein Ruderboot hing in einem Gerüst, ein zweites befand sich im Wasser und schaukelte auf und ab, wobei es ab und zu an die Holzwand schlug. „Deshalb das Poltern, wenn doch nur alles so schnell aufzuklären wäre", murmelte er vor sich hin. Doch als er das Bootshaus wieder verlassen wollte, vernahm er ein weiteres Geräusch – es kam aus der Richtung des Bootes, das auf dem Gerüst hing. Er ging darauf zu, hob die Plane ab und schaute hinein. Er traute seinen Augen nicht.

„Erwin, um Himmels willen, Erwin, was ist passiert?" Specht kletterte in das Boot und befreite Wanninger von dem Knebel, der ihn am Sprechen hinderte, und auch von den Stricken, mit denen er ans Boot gefesselt war. „Mein Gott Erwin, was ist los? Geht es dir gut?"
Wanninger atmete ein paar Mal kräftig durch und wollte antworten. Dann war ein ganz leises „Danke" zu hören und der Name „Schuster!".
„Was?"
„Schuster war es, er hat mich überwältigt."
„Nun komm erst einmal aus dem Boot heraus und setz dich dort auf den Stuhl. Geht's einigermaßen?" fragte Specht besorgt. „Ich rufe gleich einen Krankenwagen."
„Ich brauche keinen Krankenwagen. Schuster war's! Er kommt sicher gleich wieder zurück. Wir müssen uns in Acht nehmen!"

Übung 95: Setzen Sie die Verben ins Präteritum und Perfekt!

ÜBUNG 95 !

1. sprichst ___________ _____ ___________

2. kenne ___________ _____ ___________

3. kommst ___________ _____ ___________

4. klärt auf ___________ _____ ___________

5. feuern ___________ _____ ___________

„Von welchem Schuster sprichst du?"
„Von Salvatore, er war es, er war mal ..."
„Streng dich nicht zu sehr an, ich kenne die Geschichte. Wie kommst du überhaupt hierher, Erwin?"
„Gestern – ich wollte doch zu dir kommen – habe ich mich auch mit Salvatore verabredet. Ich hatte da so einen Verdacht. Jetzt weiß ich es, er, er ... Hast du dein Handy bei dir?"
„Ja, natürlich."
„Dann lass mich schnell Agathe anrufen."
„Das kannst du später machen, Erwin, wenn wir im Auto sitzen und nach München zurückfahren. Nun erzähl doch endlich weiter!"
„Weißt du, Salvatore war ein wirklich fähiger Mann, wäre da nicht dieses Mädchen gewesen. Maria hat mir davon erzählt. Salvatore wäre noch heute ..."
„... bei der Polizei", vervollständigte Specht den Satz.

ÜBUNG 96 !

Übung 96: Finden Sie acht Fehler!

„Ich möchte ihn sehr gerne, aber ich musste ihn feuern, es führte kein Weg daran vorbei. Salvatore hat mir das nie verzeihen, und

wahrscheinlich nicht nur mir, sondern der gesamten Polizei. Als ich von dem Einbruch bei den Nowotnys hörte und erfuhr, das Maria dort arbeitet und außerdem ein Sternzeichen-Kettchen mit Schütze-Anhänger gefunden wurde, da hatte ich den dringenden Verdacht, dass Salvatore etwas mit der Sache zu tun habe. Ich konnte es nur leider nicht beweisen."
„Woher weißt du, dass er Schütze ist?"
„Salvatore war für mir wie ein Sohn, daher weiß ich natürlich, wann er Geburtstag hat. Das war einer der vielen Anlässe, zu denen Agathe ihn und seinen Schwester zu uns eingeladen hat. Wir fühlten uns fast wie eine wirkliche Familie. Wahrscheinlich konnte er es auch deshalb nicht verstanden, dass ich ihn entlassen musste. Seine Eltern sind früher gestorben, wahrscheinlich war ich eine Art Vater-Ersatz für ihn."

„Erwin, warum weißt du so viel über diesen Fall? Du kennst Einzelheiten, die nur die Polizei wissen kann." Paul Specht staunte nicht schlecht.
„Ach, weißt du, ich habe da noch gute Kontakte und kenne jemanden im Vorzimmer von Huber, eine Dame, die sehr gerne plaudert. Sie hat mir auch von Hubers Ultimatum erzählt." Wanninger lächelte so gut er konnte.
„Das hast du jetzt aber hoffentlich nicht ernst gemeint, oder?"
„Nimm's der Waldbauer nicht übel, auf diese Art hat sie mich immerhin auf eine Spur gebracht und somit auch uns beide zusammengeführt!"
„Na, wenn du das so siehst. Du meinst also, dass Salvatore etwas mit den Wolpertinger-Diebstählen zu tun hat?"
„Etwas, hahaha, das ist gut! Er hat alle Diebstähle begangen. Ich sagte dir doch, er ist ein überaus fähiger Mann, ein Alleskönner. Komm mal mit, ich zeig dir was."

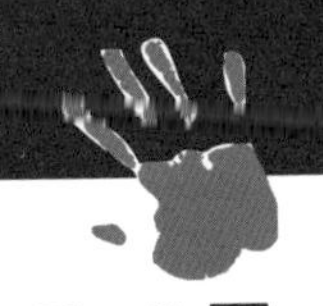

Übung 97: Bilden Sie den Imperativ in der 2. und 3. Person Plural!

1. nimm ____________ ____________
2. lass ____________ ____________
3. komm ____________ ____________
4. geh ____________ ____________
5. lies ____________ ____________

Specht folgte Wanninger hinter das Gerüst in die andere Ecke des Bootshauses. Hier standen ein Schlafsofa mit einem Fellüberwurf, ein rustikaler Tisch mit zwei Stühlen und eine kleine Kommode. Wanninger ging direkt auf sie zu. „Hilf mir mal", bat er. Mit vereinten Kräften rückten sie die Kommode zur Seite. Wanninger bückte sich und hob einige lose Bretter des Holzbodens hoch.
„Nun schau doch mal, was wir hier haben!"
„Ich werd verrückt."
„Ja, das dachte ich auch." Wanninger hielt ihm einen großen Leinensack entgegen.
Specht nahm ihn entgegen und öffnete ihn. „Dieser Schmuck muss ein Vermögen wert sein!"
„Vor allem müsste es das komplette Diebesgut sein."
„Woher willst du das wissen, Erwin?"
„Ich habe hier gestern Morgen herumgeschnüffelt ... Jetzt wirst du mich auslachen, aber ich lese da gerade so einen spannenden Sherlock Holmes-Krimi, da hatte der Täter auch ... Ach, lassen wir das, auf jeden Fall habe ich das Versteck hier gefunden. Dann hat mich Salvatore erwischt und mir eins über den Kopf gegeben, und als ich wieder aufwachte, fühlte ich mich wie ein Fisch an der Angel. Er hatte mich von oben bis unten gefesselt. Ich versuchte

mit Salvatore zu sprechen. Erst gelang es mir nicht, aber dann fing ich mit dieser alten Geschichte an und es sprudelte nur so aus ihm heraus. Er hätte so viel erreichen können im Leben, meinte er, und dann hätte er wegen so einer dummen Geschichte für immer sein Gesicht verloren."

ÜBUNG 98 !

Übung 98: Verneinen Sie die Sätze!

1. Er hat die Einbrüche begangen.

___

2. Er wollte ein Schmuckstück verkaufen.

___

3. Sie hatte Geld.

___

4. Erwin hatte etwas gewusst.

___

5. Sie hatten einen Plan.

___

„Er hat all die Einbrüche ganz allein begangen. Dieser Salvatore ist ein Schlitzohr, er hätte ein zweiter James Bond werden können, hätte er damals nicht ..."

„Ja, nun bleib beim Thema."

„Alarmanlagen sind für ihn kein Problem. Er war damals unser Mann für technische Fragen. Außerdem ist er sehr sportlich und

hat somit kein Problem, in den ersten oder zweiten Stock zu klettern. Ja, und das Beste kommt erst noch: Er hat nie und wollte auch nie ein einziges Stück des Diebesgutes verkaufen."
„Waaas? Aber warum hat er denn dann die ganzen Einbrüche verübt?"
„Um der Polizei eins auszuwischen und um uns alle lächerlich zu machen. Das ist ihm ja auch gründlich gelungen. Er wollte jetzt auch aufhören, Diebstähle zu begehen, zehn wären genug, meinte er. Salvatore wollte die ganzen Klunker der Polizei vor die Tür legen und die Presse informieren. Das wäre seine Genugtuung gewesen."

Übung 99: Finden Sie das schwarze Schaf!

ÜBUNG 99 !

1. Perfekt, Plusquamperfekt, Präteritum, Futur
2. Genitiv, Akkusativ, Adjektiv, Dativ
3. Passiv, Präposition, Pronomen, Substantiv
4. Vollverb, Hilfsverb, Modalverb, Adverb

„Und wieso hat er überall diese Wolpertinger hinterlassen?"
„Er wollte ein Zeichen setzen, weißt du, vermutlich so wie Zorro sein Z hinterließ. Jeder sollte wissen, dass ER wieder zugeschlagen hat. Es musste unverkennbar sein. Nur so konnte er sich rächen."
„Aber warum gerade Wolpertinger?"
„Das war einer seiner Fehler, denn auch das brachte mich auf seine Spur. Ich habe dir ja gerade erzählt, dass Salvatore bei uns ein und aus ging. Meinen Neffen, die damals noch sehr klein waren, habe ich immer diese Märchen vom Wolpertinger erzählt. Salvatore fand das ziemlich lustig und hat mich ständig, ob privat oder im Dienst, damit aufgezogen. Den einen oder anderen Plüsch-Wol-

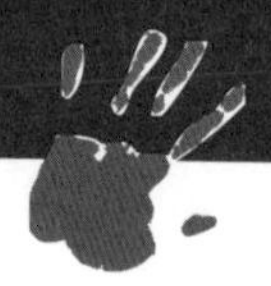

pertinger hat er mir sogar geschenkt."
„Und die Sache mit dem Gesicht? Dem fehlenden Gesicht, meine ich?"
„Er hat doch immer gesagt, dass er seit dieser Drogen-Geschichte nicht mehr in den Spiegel sehen könne, dass er sein Gesicht verloren habe. Er hat diese Redensarten wohl wörtlich genommen und sich vor seinen Raubzügen eine dieser Latex-Masken übergestreift. Er glaubt, die Polizei wäre Schuld daran, dass er sein Gesicht verloren hat – also beging er seine Taten als Gesichtsloser!"
„Er hat alles nur aus Rache getan?"
„Ja, allerdings. Die Wolpertinger und die Maske – das war seine Anklage gegen uns. Aber wenn du das Diebesgut prüfen lässt, wette ich mit dir, dass kein Stück fehlt!"

ÜBUNG 100 !

Übung 100: Setzen Sie das Reflexivpronomen ein!

1. Er hat ein Goldkettchen gekauft.

____

2. Sie versteckten hinter der Couch.

____

3. Wir konnten nicht vorstellen, dass es Salvatore war.

____

4. Warum hast du nicht bei mir gemeldet?

____

5. Habt ihr schon umgesehen?

____

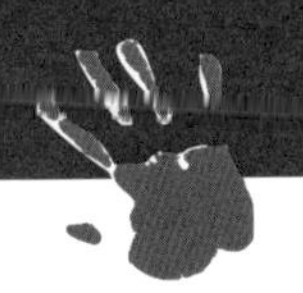

„Und das Goldkettchen?"
„Paul, das ist Massenware. Er hat sich einfach ein neues gekauft."
Plötzlich hörte Specht ein Geräusch von draußen. Er schob vorsichtig ein kleines Stück der rot-weiß karierten Gardine beiseite und spähte durch das kleine Fenster. „Das muss Salvatore sein."
„Schnell Paul, hilf mir mit der Kommode!"
Sie rückten die Kommode wieder an die richtige Stelle, den Sack stellte Specht hinter die Couch. Dann schlichen sie rasch Richtung Gerüst und versteckten sich hinter der Plane. Specht beugte sich vorsichtig vor, um besser sehen zu können.
Die Tür ging auf und ein Mann kam herein. Paul schluckte, als er von seinem Versteck aus das Gesicht des Mannes sah. Oder besser gesagt – als er kein Gesicht sah. Der Fremde sah wirklich zum Fürchten aus. Doch wenn man genau hinsah, konnte man die Latex-Maske erkennen, die sich straff über seinen Kopf spannte. Sie war völlig glatt, bis auf zwei winzige Gucklöcher.

Übung 101: Setzen Sie die Modalverben ein! ***(sollten, konnte, mussten, wollte, durften)***

! ÜBUNG 101

1. Paul und Erwin ________ sich schnell verstecken.

2. Sie ________ sich mit keinem Geräusch verraten.

3. Man ________ den Mann unter der Maske nicht erkennen.

4. Salvatore ________ etwas essen.

5. Sie ________ schon längst wieder bei Eva sein.

Der Mann war Salvatore, kein Zweifel. Er hatte eine Plastiktüte in der Hand, deren Inhalt er auf den Tisch stellte. Lebensmittel, eini-

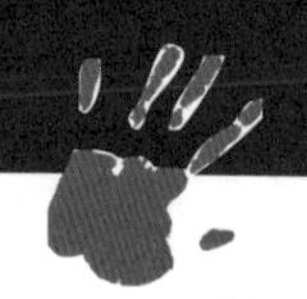

ge Bierdosen und Wasserflaschen kamen zum Vorschein. Er ging zur Kommode und stand jetzt mit dem Rücken zu Specht und Wanninger. Er wollte sie gerade wegrücken, als Specht hinter dem Gerüst hervorstürmte. „Salvatore Schuster, Sie sind verhaftet!" Salvatore drehte sich langsam um. Er hatte eine Pistole in der Hand und zielte auf Specht. Kommissar Specht hasste Gewalt und trug aus diesem Grund selten eine Waffe bei sich. Sein Chef durfte das natürlich nicht wissen, denn das wäre ein weiterer Grund, ihn zu feuern.
„Hände hoch und kein Wort mehr. Du auch Wanninger, sonst knalle ich euch beide ab."
Wanninger kam hinter der Plane hervor „Salvatore, ganz ruhig, wir tun, was du sagst. Specht, hast du gehört?!"
„Ja, wir tun, was Sie sagen."

ÜBUNG 102 !

Übung 102: Welche Zeit ist das?

1. Specht ließ sie schon eine Stunde warten. ______________
2. Sie hatte mit ihrer Freundin telefoniert. ______________
3. Specht kann mich wohl nicht brauchen. ______________
4. Er wird mit einer hübschen Frau sprechen. ______________
5. Er hat sie auch nicht angerufen. ______________

Eva Hansen war gelangweilt. Specht ließ sie jetzt bestimmt schon seit einer Stunde warten. Sie hatte inzwischen alle Leute, die sie kannte, mit SMS und Anrufen bombardiert, denn natürlich mussten alle wissen, dass sie sich gerade in einem gefährlichen Einsatz befand. „Das darf doch nicht wahr sein! Dieser Rüpel sitzt wahr-

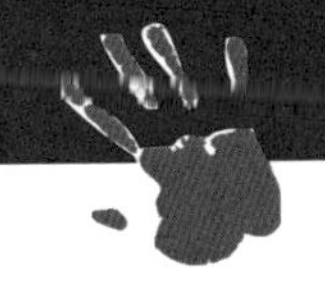

scheinlich in einem gemütlich eingerichteten Zimmer mit offenem Kamin, trinkt Kaffee und spricht mit interessanten Leuten. Vielleicht unterhält er sich ja mit einer gut aussehenden Dame, da kann er mich natürlich nicht brauchen. Und ich, ich darf im Auto sitzen, obwohl ich doch die Aussagen protokollieren wollte. Das gehört schließlich zu meinem Job", gab sie laut von sich. „Eva, du gehst jetzt einfach!", forderte sie sich selbst auf. „Nein, du bleibst da, das war immerhin ein Befehl deines Chefs! Hmm ... Ich gehe aber doch", dachte sie sich. Sie stieg aus dem Auto und schritt zur Gartentür. Ihr Blick fiel auf das Schild mit der Aufschrift: Vorsichtig bissiger Hund. Na, wenn der Hund ihren Chef nicht angefallen hatte, dann würde er das mit ihr auch nicht machen. Sie ging zum Haus hinauf und wunderte sich, dass alle Fenster und Türen verschlossen waren. „Vielleicht ist er in den See gefallen", dachte sie amüsiert, „dann müsste ich ihn retten. Na, dann wollen wir mal gucken, wo er ist."

Übung 103: Setzen Sie die Wörter in Klammern im richtigen Fall ein!

1. Durch das Fenster (das Haus) __________ sah sie niemanden.
2. Eva stieg aus (das Auto) ________ .
3. Sie sprühte Tränengas in die Richtung (der Gesichtslose) ________ .
4. Sie konnte mit (diese Stiefel) ________ gut laufen.
5. Ohne (die Verkleidung) ________ sah der Mann nicht mehr gruselig aus.

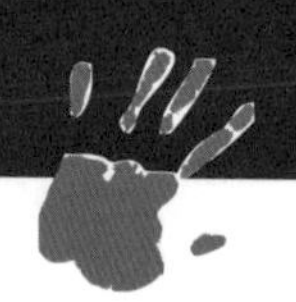

Grinsend schlich sie zum Bootshaus. „Ihr Einsatz, Eva Hansen", flüsterte sie leise. Gut, dass sie heute ihre bequemen, flachen Lederstiefel anhatte. Mit den Schuhen, die sie sonst trug, wäre das nicht möglich gewesen. Da wäre sie sicherlich mit den Absätzen in der Wiese stecken geblieben. Außerdem war ihr nicht ganz wohl bei der Sache, weil sie Spechts Befehl, im Auto zu warten, missachtete. Sie spähte vorsichtig durch das kleine Fenster und schluckte. Ihr stockte der Atem. Was sie da sah, war wie im Film – in einem Horrorfilm. Ein Mann ohne Gesicht hatte eine Waffe in der Hand und bedrohte zwei andere Männer. Eva war fassungslos: Er bedrohte nicht irgendwelche Männer, sondern ihren Chef und Herrn Wanninger, den früheren Vorgesetzten von Specht.

ÜBUNG 104 !

Übung 104: Setzen Sie die Verben ein! ***(starrten, sprühte, sollte, rufen, atmete, griff, waren, funktioniert)***

Was 1. ______ sie nur tun? Zurück zum Auto gehen und Verstärkung 2. ____? Ja, das war eine gute Idee. Aber in der Zwischenzeit 3. ____ Specht und Wanninger vielleicht schon tot. „Eva, mach was", hämmerte es in ihrem Kopf. Sie zermarterte sich das Hirn. Dann kam ihr eine Idee. Sie 4. ____ in ihre geliebte rote Lederhandtasche und holte ihr Tränengas heraus. „Hoffentlich 5. ______ die Spraydose noch", dachte sie verzweifelt. Sie 6. ______ nochmals kräftig durch und riss ernergisch die Tür auf. Drei Männer 7. ______ sie an. Eva hob die Spraydose und 8. ______ eine gezielte Ladung Tränengas in Richtung des Gesichtslosen.

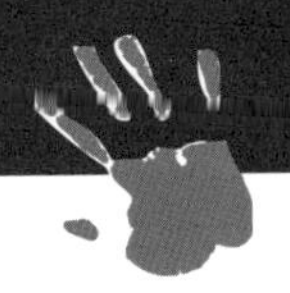

„Ahhhhhhhhh!“ Salvatore schrie entsetzlich und riß sich die Gummi-Maske von seinem Kopf. Ohne die Verkleidung sah er gar nicht mehr so gruselig aus, im Gegenteil. Er war außer Gefecht gesetzt und unfähig, noch irgendetwas zu unternehmen. Er ließ freiwillig die Waffe fallen und rieb sich seine schmerzenden Augen.
Die beiden Männer packten ihn und Wanninger band ihm die Hände mit einem Strick zusammen.
„Ahhhhhhhhh!“ Salvatore schrie noch immer vor Schmerzen.
„Der Arme!“ Eva hatte nun doch ein schlechtes Gewissen. Sie verschwand kurz hinter dem Gerüst im Bootsraum. Als sie zurückkam, gab sie Specht ihr Taschentuch, das sie im Wasser befeuchtet hatte. „Hier, bitte helfen Sie ihm!“, forderte sie ihn auf.
Specht nahm das Taschentuch, wobei ihm die Initialen EH auffielen, die eingestickt waren, und wischte damit über Salvatores Gesicht.

Übung 105: Schreiben Sie den Satz neu, indem Sie mit dem unterstrichenen Teil beginnen!

1. Alle wollten telefonieren, als sie nach München fuhren.

____

2. Eva wartete schon seit einer Stunde.

____

3. Sie befeuchtete das Tuch, weil Salvatore Hilfe brauchte.

____

4. Da Specht nicht wiederkam, machte sie sich Sorgen.

____

„Gut gemacht, Eva!“, lobte Specht sie.
„Er hat mich schon wieder Eva genannt“, dachte sie verwundert.
„Bitte rufen Sie in der Zentrale an, die sollen einen Dienstwagen und am besten auch einen Arzt mitschicken.“
„Ist so gut wie erledigt, Chef!“
„Eva, ich befördere Sie zu meiner Assistentin. Das werde ich nach diesem Erfolg auch bei Huber durchbringen.“
„Ist das wirklich wahr?!“, juchzte sie.
„Bravo, solche Leute brauchen wir bei der Polizei!“
„Danke, Herr Wanninger.“ Eva war einfach nur glücklich: Sie hatte einen Verbrecher zur Strecke gebracht. Sie ganz allein! Na gut, Specht und Wanninger hatten ein bisschen geholfen.
Als Specht, Wanninger und Eva Hansen im Auto saßen und siegessicher zurück nach München fuhren, hatten alle drei nur noch einen Wunsch: telefonieren!
Specht wollte triumphierend seinen Chef anrufen, Wanninger seine geliebte Agathe und Eva ihre Freunde.
„Was passiert jetzt mit Salvatore? Irgendwie tut er mir Leid!“, beteuerte Eva.
„Das hat er sich alles selbst eingebrockt“, meinte Specht.
„Und die arme Maria!“, legte sie nach.
„Es wird schon weitergehen! Ich denke, dass sich Salvatore dringend in psychiatrische Behandlung begeben sollte. Seine Vergangenheit hat offenbar ihre Spuren hinterlassen. Der Junge hatte aber auch kein leichtes Leben. Erst der frühe Tod seiner Eltern, dann das schlechte Gewissen seiner Schwester gegenüber, die auf vieles verzichten musste. Eigentlich wollte sie studieren, aber das war finanziell nicht möglich. Stattdessen musste Maria schnell Geld verdienen, um die laufenden Kosten mitzutragen. Dann diese drogenabhängige Freundin ... Ja, und dann kam auch noch das Ende seines Polizeidienstes.“ Wanninger schüttelte müde den Kopf.

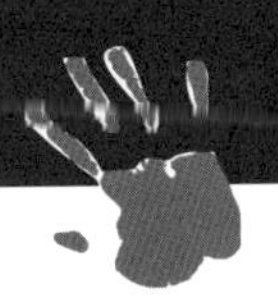

„Dann denken Sie also, dass er erst einmal in Behandlung kommt, Herr Wanninger?“
„Das kann ich nicht beurteilen, Frau Hansen“, erwiderte Wanninger. „Ich hoffe es allerdings für ihn.“
„So einen Blödsinn zu machen, zahlt sich eben nicht aus!“, gab Specht zur Antwort.
„Meine Agathe und ich werden Maria auf jeden Fall ein wenig unterstützen, vielleicht hilft ihr das etwas, über ihren Kummer hinwegzukommen.“
„Wobei wir wieder bei der Frage angekommen wären, lieber Kollege Wanninger, die du mir immer noch nicht beantwortet hast: Wie bist du an so viel Geld gekommen?“
„Woher weißt du, wie viel Geld ich habe?“
„Wer sich so viel leisten kann ...“
„Also gut, ich habe im Lotto gewonnen, und das ist kein Scherz!“
Specht schaute ihn skeptisch an.
„Es ist wirklich wahr! Zwei Millionen, allerdings ist davon nicht mehr sehr viel übrig. Ich habe mir das Weingut in der Toskana gekauft und damit meinen absoluten Lebenstraum erfüllt. Mein Sohn hat natürlich auch etwas bekommen, außerdem haben wir ein bisschen Urlaub gemacht, und einen Teil habe ich gespendet. Doch eins ist mir viel wichtiger als alles Geld dieser Welt: die Liebe zu meiner Agathe.“
Paul Specht, der am Steuer saß, grinste in den Rückspiegel und schaute Eva Hansen an, die daraufhin verlegen auf den Boden starrte. Als sie wieder hoch sah, strahlte sie.

ENDE

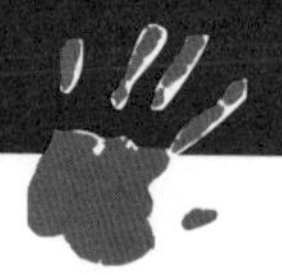

Abschlusstest

Übung 1: Verbinden Sie die Sätze mit der Konjunktion!

1. Paul wurde Kommissar. Er war zwanzig Jahre alt. (als)

____

2. Er verliebte sich in Eva. Sie hatten den Fall gelöst. (nachdem)

____

3. Erwin wollte Agathe sofort anrufen. Er liebte sie sehr. (denn)

____

Übung 2: Ergänzen Sie die fehlenden Formen der Modalverben!

Präsens	Präteritum	Perfekt
1. darf	________	hat ________
2. ________	konnte	habe ________
3. ________	________	haben gewollt
4. musst	________	habt ________

Übung 3: Setzen Sie die Substantive in den richtigen Fall!

1. Specht hatte (sein Kollege) ________ Erwin in Verdacht.
2. Eva holte Tränengas aus (ihre große rote Tasche) ________.
3. Salvatore bedrohte sie mit (eine kleine Pistole) ________.

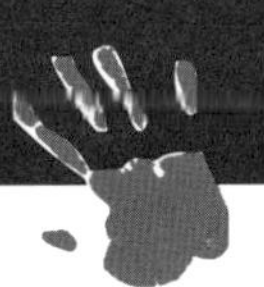

Übung 4: Setzen Sie die Sätze ins Aktiv!

1. Huber wurde von Specht angerufen.

2. Der Täter ist von Specht verhaftet worden.

3. Die Diebstähle werden von der Polizei untersucht.

Übung 5: Setzen Sie die Sätze ins Futur!

1. Eva und Paul fahren zusammen nach München zurück.
2. Wir üben unser Deutsch auch mit dem nächsten Lernkrimi „Der Schatz des Märchenprinzen".
3. In dem Krimi triffst du Eva und Paul wieder.

Übung 6: Setzen Sie das Reflexivpronomen ein!

1. Paul wollte wissen: „Wieso könnt Ihr _____ das Hotel leisten?"

2. Mit dem Krimi langweilst du _____ nicht beim Lernen.

3. Ich kann _____ nicht erinnern.

Übung 7: Setzen Sie die Artikel ein und bilden Sie zusammengesetzte Wörter!

1. ____ Safe ____ Tür __________

2. ____ Dach ____ Boden __________

3. ____ Haar ____ Bürste __________

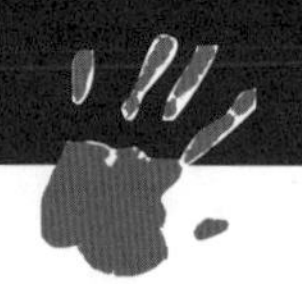

Lösungen

Übung 1: 1. die Präsidien; 2. die Wünsche; 3. die Renten; 4. die Weingüter; 5. die Vermögen; 6. die Ausreden; 7. die Weine
Übung 2: 1. das, die Viertel; 2. die, die Städte; 3. der, die Bezirke; 4. das, die Dörfer; 5. der, die Plätze; 6. die, die Straßen
Übung 3: 1. bewohnte; 2. war; 3. stand; 4. hatte; 5. gab; 6. fand; 7. bildeten; 8. wohnte; 9. beherbergte; 10. gewann; 11. holten; 12. flogen; 13. machten; 14. arbeiteten; 15. lebten; 16. wusste; 17. bekam; 18. sah; 19. hörte; 20. kam; 21. verdiente
Übung 4: 1. „Hallo"; 2. „Herr Specht, Sie kommen heute aber wieder spät nach Hause."; 3. „Frau Brösel, Sie sind noch wach?"; 4. „Ich dachte, ich müsste noch mal nach dem Rechten schauen. Aber jetzt sind ja alle meine Schäfchen zu Hause. Dann geh ich jetzt auch mal schlafen. Gute Nacht, Herr Specht."; 5. „Sie auch, Frau Brösel."
Übung 5: 1. Kommissar Specht wohnt in München. 2. Über ihm wohnt ein ehemaliger Biologie-Lehrer. 3. Im zweiten Stock leben Studenten. 4. Frau Brösel ist die Hausmeisterin. 5. Ja, Frau Brösel ist sehr neugierig.
Übung 6: 1. müssen; 2. kommen; 3. leben; 4. entschuldigen; 5. haben; 6. lösen
Übung 7: 1. sind geschritten; 2. hat verkauft; 3. ist gegangen; 4. hat vorgestellt; 5. ist gewesen; 6. haben gestanden; 7. hat gelegen; 8. hast gehabt
Übung 8: 1. rosafarbenen; 2. braunen; 3. zierliche; 4. schätzungsweise; 5. alt; 6. pechschwarzem; 7. vermutlich; 8. gefärbtem; 9. hochgestecktem; 10. gepflegten; 11. mitgenommen
Übung 9: 1. Meischner hatte sich nebenbei eine Freundin geangelt. 2. Es musste ein ziemlicher Schock gewesen sein. 3. Sie hatte noch nie so etwas Furchtbares gesehen. 4. Frau Meischner konnte das Gesicht des Einbrechers nicht erkennen.
Übung 10: 1. stark; 2. schwach; 3. stark; 4. schwach; 5. stark; 6. schwach; 7. stark; 8. stark
Übung 11: 1. dem gleichen Muster; 2. allen anderen Einbrüchen; 3. einem ganzen Regal; 4. der kleinen chinesischen Vase; 5. diesem ekligen Ding; 6. einer modernen Alarmanlage; 7. dem dreisten Serientäter; 8. wertvollen Erbstücken
Übung 12: 1. ausgefeilt, ausgefeilter, am ausgefeiltesten; 2. gut, besser, am besten; 3. lustig, lustiger, am lustigsten; 4. viel, mehr, am meisten; 5. groß, größer, am größten; 6. hoch, höher, am höchsten
Übung 13: Frau Meischner sagte, dass es ihr völlig egal sei, ob dieser Dieb ein Technikgenie, ein Serientäter oder ein Idiot sei. Sie wolle ihren Schmuck zurück. Darunter befänden sich auch Erbstücke aus ihrer Familie. Sie seien sehr kostbar, nicht nur in finanzieller Hinsicht, sie hätten einen unschätzbaren persönlichen Wert für sie.
Übung 14: 1. seien; 2. würden … erleichtern; 3. sei; 4. sich … aufhalte; 5. bevorzuge; 6. könne; 7. sei; 8. lasse; 9. müsse; 10. würde … schlüpfen; 11. müsse; 12. solle;

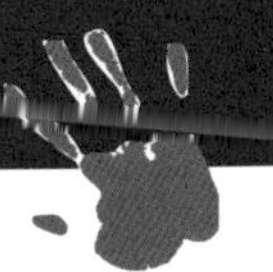

13. sei
Übung 15: 1. der; 2. das; 3. der; 4. der; 5. das; 6. der; Lösungswort: Mörder
Übung 16: 1. Sie recherchiert im Internet. 2. Sie kommt aus Hamburg. 3. Sie möchte Specht zu seinem Lieblingsessen einladen. 4. Specht wird die Rechnung bezahlen.
Übung 17: 1. er zog an; 2. wir fuhren 3. ihr hinterließt; 4. ich schnappte; 5. sie lief/liefen davon; 6. ihr dachtet; 7. du bekamst; 8. er nahm
Übung 18: 1. Erst auf der Salzburger Autobahn dachte er wieder an seine Kollegin. 2. Vor morgen früh konnte er sich nicht einmal entschuldigen. 3. Dieses Mal hatte der Wolpertinger in einem Nobelhotel zugeschlagen. 4. In der Eingangshalle hatte sich schon ein kleiner Menschenauflauf gebildet.
Übung 19: 1. D; 2. N; 3. D; 4. N; 5. N; 6. N; 7. N; 8. D; 9. A
Übung 20: 1. aus; 2. bei; 3. mit; 4. bei; 5. zur; 6. in; 7. im
Übung 21: 1. sprach; 2. saß; 3. hörte; 4. stand; 5. wollte; 6. war; 7. hatte; 8. hatte; 9. hatte; 10. musste; 11. fand; 12. verzog
Übung 22: 1. Der Einbrecher hat nur Schmuck gestohlen, obwohl auch Bargeld im Safe war. 2. Der Direktor hatte alles überprüft, aber er hatte nichts gefunden. 3. Er hatte nichts bemerkt, weil er mit seiner Frau telefonierte. 4. Specht sagte nicht, was er dachte, sondern er beherrschte sich.
Übung 23: 1. die Gäste, das Buch, das Gästebuch; 2. das Personal, der Flur, der Personalflur; 3. die Hochzeit, der Tag, der Hochzeitstag; 4. die Abreise, die Daten, die Abreisedaten; 5. der Luxus, das Hotel, das Luxushotel; 6. die Marter, der Pfahl, der Marterpfahl; 7. der Wert, der Gegenstand, der Wertgegenstand; 8. die Spuren, die Sicherung, die Spurensicherung
Übung 24: 1. Zelle; 2. USA; 3. Wein; 4. Deutschland; 5. Sekunde
Übung 25: 1. gequält werden; 2. verfolgt werden; 3. gefunden werden; 4. gehört werden; 5. umgeknickt werden; 6. gehetzt werden; 7. erschreckt werden
Übung 26: 1. er wird quälen; 2. wir werden verfolgen; 3. du wirst finden; 4. ich werde hören; 5. sie wird umknicken; 6. er wird hetzen; 7. ihr werdet erschrecken
Übung 27: 1. Ich hätte gerne Frühstück auf mein Zimmer. 2. Ich würde gerne telefonieren. 3. Könnten Sie mir bitte helfen? 4. Könnte ich noch ein bisschen davon haben?
Übung 28: 1. Rezeption; 2. Internetanschluss; 3. Glück; 4. Sauna; 5. Hotel; 6. Gast; 7. Bademantel; 8. Alters; 9. Antworten; 10. Tätowierungen
Übung 29: 1. die Verschwendung, der Verschwendung; 2. der Teil, des Teils; 3. die Gäste, der Gäste; 4. das Wort, des Wortes; 5. die Richtung, der Richtung; 6. die Gymnastik, der Gymnastik; 7. der Specht, des Spechts; 8. die Leute, der Leute
Übung 30: 1. und; 2. weil; 3. da; 4. obwohl
Übung 31: 1. ihm; 2. du; 3. er; 4. dir; 5. mich; 6. wir; 7. dich; 8. uns
Übung 32: 1. vorkommt/vorkam; 2. ist/war; 3. ist/war; 4. sahst/siehst; 5. warst/bist;

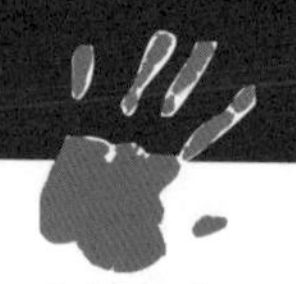

6. Hatte/Habe

Übung 33: 1. meine; 2. seinen; 3. unseres; 4. unserem; 5. meine, ihrem; 6. deines

Übung 34: 1. Der Wolpertinger ist von dem Dieb an den Safe gehängt worden. 2. Wanninger wurde von Specht verhört. 3. Specht würde vermutlich noch viel Arbeit haben. 4. Der Schmuck wird wohl nicht von einem Wolpertinger gestohlen worden sein. 5. Sein Chef hatte die vielen Fragen, die Specht ihm gestellt hatte, unbeantwortet gelassen.

Übung 35: 1. das; 2. die; 3. die; 4. dem; 5. der; 6. denen

Übung 36: 1. dass; 2. dass; 3. dass; 4. das; 5.das

Übung 37: 1. Sie; 2. Sie, sie; 3. sie; 4. sie; 5. Sie

Übung 38: die Amsel, die Amseln; 2. der Vogel, die Vögel; 3. die Figur, die Figuren; 4. die Frage, die Fragen; 5. das Verbrechen, die Verbrechen; 6. der Manager, die Manager; 7. das Foyer, die Foyers

Übung 39: 1. sie/Sie; 2. nicht/nichts; 3. bayerischen/bayerisches; 4. Junge/Junger; 5. zurückbringt/zurückbringen; 6. mir/mich; 7. dass/das; 8. ihn/ihm

Übung 40: 1. dachte; 2. musste; 3. hatte; 4. rief; 5. war; 6. setzte; 7. sollte; 8. verkaufte

Übung 41: 1. Wen; 2. Was; 3. wem; 4. Wessen; 5. Wohin; 6. Warum

Übung 42: 1. zur; 2. zur; 3. zu; 4. bei; 5. vom; 6. in; 7. in; 8. mit; 9. in; 10. Auf; 11. in; 12. An; 13. zum; 14. mit; 15. an; 16. vor; 17. in

Übung 43: 1. der; 2. den; 3. dem; 4. den; 5. den; 6. der; 7. die; 8. dem

Übung 44: 1. hing; 2. stand; 3. stellte; 4. legte; 5. setzte; 6. hängte; 7. lag; 8. saß/saßen

Übung 45: 1. Agathe würde sich auch über billigen Schmuck freuen. 2. Es ist für einen Kommissar unmöglich sich so etwas zu leisten. 3. Ich lasse dich morgen früh von einem Dienstwagen abholen. 4. Die Tür ging auf und Wanninger stand im Zimmer. 5. Im Safe lagen Geldscheine im Wert von etwa fünftausend Euro.

Übung 46: 1. die kostspieligen Geschenke; 2. die potenziellen Tatverdächtigen; 3. seine leuchtenden Augen; 4. die neugierigen Kommissare; 5. die billigen Schmuckstücke; 6. die aufdringlichen Fragen

Übung 47: 1. r; 2. f: Er war wieder auf freiem Fuß. 3. r; 4. f: Sie hatte sehr teuren Schmuck. 5. f: Frau Hansen war von norddeutscher Mentalität. 6. f: Er fuhr zum neuen Präsidium; 7. f: Er machte große Augen.

Übung 48: Specht geht zu dem Fenster, das zur Straßenseite liegt. Von seinem Büro aus lässt sich die Effnerstraße, die zum Altstadtring führt, gut beobachten. Ein dunkelblauer Porsche Carrera hält unerlaubterweise vor der Präsidiumseinfahrt. Eva Hansen steigt ein. Er erkennt sie an ihrem weißen Trenchcoat oder vielmehr an ihrer roten Mütze, die sie frech auf ihrem Kopf trägt, und der roten, übergroßen Handtasche, in der man ein ganzes Waffenarsenal unterbringen konnte. Was haben Frauen nur immer in ihren Handtaschen? Doch das ist nicht die wichtigste Frage, die ihn beschäftigt. Hat die Hansen einen neuen Freund? Die steht wohl auf Leute, die Geld haben. „Na, wenn schon“, denkt er sich. „Was kümmert's mich?“

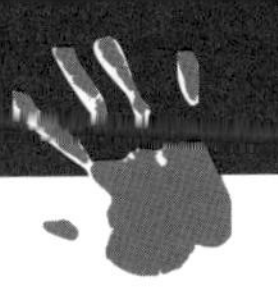

Übung 49: 1. weißen/weißes; 2. Briefumschläge/Briefumschlag; 3. Nichts/nichts; 4. in/ins; 5. schlechter/schlechte; 6. endschuldigen/entschuldigen; 7. mußte/musste; 8. Karten/Karte
Übung 50: 1. im Kleinhesseloher See; 2. in wenigen Wochen; 3. dem Winter; 4. mit einer weißen Schicht; 5. den Spaziergängern, verliebten Pärchen und Senioren; 6. am See; 7. Im Frühling und Sommer; 8. von Sonnenhungrigen und Studenten; 9. auf den Wiesen; 10. im Biergarten; 11. im Park; 12. Specht; 13. auf einer Bank; 14. am See; 15. aus der Entfernung; 16. von dem; 17. zur Uhr; 18. an der rothaarigen Bedienung
Übung 51: 1. setzte; 2. genommen; 3. brachte; 4. musste; 5. denken; 6. las; 7. geglaubt; 8. überzogen; 9. aufbrechen
Übung 52: 1. unterbricht/unterbrach; 2. steht/stand; 3. hatte nicht warten wollen/wollte nicht warten; 4. ist ... zum Vorschein gekommen/kam ... zum Vorschein; 5. starren/starrten; 6. muss ... denken/musste ... denken; 7. ist/war; 8. kommt/kam
Übung 53: 1. der Albtraum, die Albträume; 2. der Automat, die Automaten; 3. das Gummibärchen; die Gummibärchen; 4. der Keks, die Kekse; 5. das Tablett, die Tabletts
Übung 54: 1. der netten Bedienungen; 2. des dicken Aktenordners; 3. der offenen Regale; 4. der silbernen Thermoskanne; 5. der schwierigen Fälle
Übung 55: 1. Pudding; 2. Dosen; 3. Souvenir; 4. Saft; 5. Bilderbuch
Übung 56: 1. Er wollte um neun Uhr im Büro sein. 2. Sie gab ihm das Geschenk. 3. Sie gab es ihm. 4. Jedes Mal hängte er einen Wolpertinger auf. 5. Er ist jedes Jahr in den Urlaub gefahren.
Übung 57: 1. Mir; 2. mir; 3. mich; 4. ich; 5. Sie
Übung 58: 1. sich; 2. mich; 3. uns; 4. sich; 5. euch; 6. mich
Übung 59: Specht hatte sich selten Zeit genommen, auf den Aufzug zu warten. Er war die Treppen hinunter Richtung Ausgang gerannt und hatte das Polizeigebäude durch die Glastür an der Ecke verlassen. Er war ins Auto gestiegen und losgefahren. Zielstrebig war er nach Westen gefahren, hatte den Rotkreuzplatz überquert und sein Auto Richtung Nymphenburger Kanal gelenkt. Es hatte leicht genieselt an diesem kühlen Herbsttag. Niemand war Specht begegnet, als er in die linke Kanalstraße einbogen war, in der sich herrschaftliche Jugendstilvillen wie Perlen an einer Kette aneinander gereiht hatten. Üppige Kastanienbäume hatten die Straße gesäumt. Er hatte im Halteverbot geparkt, auch hier hatte es offensichtlich Parkplatzprobleme gegeben. Specht war aus dem Auto gestiegen und hatte die Straße in Richtung Schloss Nymphenburg überquert.
Übung 60: 1. mir; 2. sich; 3. dir; 4. euch; 5. uns
Übung 61: 1. laut; 2. leiser; 3. ersten; 4. jeden; 5. mühelos; 6. schnellen; 7. offen; 8. wertvolles; 9. herber

Übung 62: 1. Arbeitszimmer/Arbeitszimmers; 2. kaputten/ kaputte; 3. den/die; 4. am/ zu; 5. Kollege/Kollegen; 6. Teppich/ Teppichs; 7. Viere/Vieren; 8. Anhängers/Anhänger; 9. sein/seinen; 10. den/das
Übung 63: 1. die; 2. der; 3. die; 4. der; 5. die; 6. die; 7. das; Lösungswort: Deutsch
Übung 64: 1. Angelo wird von Specht verhört werden. 2. Herr Nowotny wird Specht anrufen. 3. Die beiden werden sich nicht noch einmal melden. 4. Du wirst nach dem Stress bestimmt gut schlafen können. 5. Ihr werdet zum Unterzeichnen ins Präsidium kommen. 6. Ich werde dich auf dem Handy anrufen.
Übung 65: 1. helfen, half, hat geholfen; 2. aufstehen, stand auf, ist aufgestanden; 3. rufen, rief, hat gerufen; 4. finden, fand, hat gefunden; 5. kennen, kannte, hat gekannt; 6. ausschneiden, schnitt aus, hat ausgeschnitten
Übung 66: 1. Man muss den Fall aufklären. 2. Man wird den Täter finden. 3. Man hatte das Haus bereits durchsucht. 4. Man rief Specht an. 5. Die Sekretärin hat den Kuchen gebacken.
Übung 67: 1. Katze; 2. Einstellung; 3. Küche; 4. Getratsche; 5. Hals
Übung 68: 1. Cheff/Chef; 2. das/dass; 3.wißen/wissen; 4. mittag/Mittag; 5. Anung/ Ahnung
Übung 69: 1. schaute; 2. anzurufen; 3. wählte; 4. hinterlassen; 5. würde; 6. mitgedacht; 7. vergangen; 8. duzten
Übung 70: 1. der Safe, die Safes; 2. das Geld, die Gelder; 3. das Vorzimmer, die Vorzimmer; 4. der Landwirt, die Landwirte; 5. die Kuh, die Kühe; 6. die Gegend, die Gegenden
Übung 71: 1. Weil er Informationen brauchte, bat er seine Sekretärin zu suchen. 2. Dass Wanninger etwas damit zu tun hatte, wollte er nicht glauben. 3. Sobald sich Erwin gemeldet hatte, würde er Agathe anrufen. 4. Kaum dass er draußen war, griff die Sekretärin zum Telefon.
Übung 72: 1. in; 2. ohne; 3. bei; 4. vor; 5. bei; 6. von
Übung 73: 1. einem geröteten Gesicht; 2. dieser Adresse; 3. großen Sorgen; 4. dem schlauen Kommissar; 5. dem ersten Zeichen
Übung 74: 1. gerötet, geröteter, am gerötetsten; 2. unruhig, unruhiger, am unruhigsten; 3. schmutzig, schmutziger, am schmutzigsten; 4. idyllisch, idyllischer, am idyllischsten; 5. selten, seltener, am seltensten
Übung 75: 1. der Stern, das Zeichen, das Sternzeichen; 2. die Klingel, das Schild, das Klingelschild; 3. der Fuß, die Matte, die Fußmatte; 4. der Nachbar, die Tür, die Nachbartür; 5. der Sport, die Hose, die Sporthose; 6. das Wohnzimmer, der Tisch, der Wohnzimmertisch
Übung 76: 1. hoffend; 2. blamierend; 3. wissend; 4. reitend; 5. bewegend
Übung 77: 1. öffnete; 2. gibt; 3. Denken; 4. saß; 5. fuhr; 6. erkundigte; 7. macht; 8. erwiderte; 9. lief; 10. sah; 11. hatte; 12. bewegte
Übung 78: 1. gekonnt; 2. passiert; 3. verdient; 4. gewusst; 5. angestellt; 6. bekommen

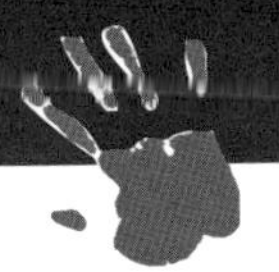

Übung 79: 1. das; 2. die; 3. der; 4. der; 5. dem; 6. denen; 7. den
Übung 80: 1. würde; 2. fände; 3. wäre; 4. Könnten; 5. hätte
Übung 81: 1. auf; 2. ins; 3. um; 4. Bis; 5. hinter; 6. mit; 7. auf; 8. mit
Übung 82: 1. nichts; 2. nichts; 3. kein; 4. nicht; 5. keinen; 6. nicht
Übung 83: 1. reißen; 2. ruf ... an; 3. Glaubt; 4. Iss/Esst
Übung 84: 1. Maria kam, um mit Paul zu sprechen. 2. Paul schrieb Karteikärtchen, um sie an der Tafel aufzuhängen. 3. Eva hatte Brezeln geschmiert, damit Paul etwas aß. 4. Er nahm sein Handy, um Erwin anzurufen.
Übung 85: musste; wollte; hieß; hatte; bettelte; bekam; war; hatte; gaben; musste; wollte; gab
Übung 86: 1. Womit; 2. Wovon; 3. Worüber; 4. Worauf; 5. Wofür
Übung 87: 1. mir; 2. mich; 3. sich; 4. Ihre; 5. ihre; 6. mich; 7. Ihr
Übung 88: gedacht; verdächtigt; getan; angefangen; verhaftet; gemusst; aufgestanden; geraubt; geworfen; gemeldet; versprochen; ausgesehen; gedurft
Übung 89: 1. -er; 2. -er; 3. -es; 4. -e; 5. -en; 6. -en; 7. -e; 8. -e
Übung 90: 1. Recht; 2. recht; 3. recht; 4. recht; 5. Rechten
Übung 91: 1. dass; 2. das, das, das; 3. Dass; 4. dass, das
Übung 92: 1. der Block, die Blöcke; 2. die Aussage, die Aussagen; 3. der Park, die Parks; 4. die Villa, die Villen; 5. das Ufer, die Ufer
Übung 93: 1. A; 2. A.; 3. D; 4. D; 5. D; 6. D; 7. A; 8. D; 9. A; 10. A; 11. A; 12. D; 13. A; 14. A
Übung 94: 1. mit; 2. im; 3. vor; 4. zum 5. zum; 6. mit; 7. in; 8. mit; 9. an
Übung 95: 1. sprichst, sprachst, hast gesprochen; 2. kenne, kannte, habe gekannt; 3. kommst, kamst, bist gekommen; 4. klärt auf, klärte auf, hat aufgeklärt; 5. feuern, feuerten, haben gefeuert
Übung 96: 1. möchte/mochte; 2. verzeihen/verziehen; 3. das/dass; 4. habe/hat; 5. mir/mich; 6. seinen/seine; 7. verstanden/verstehen; 8. früher/früh
Übung 97: 1. nimm, nehmt, nehmen Sie; 2. lass, lasst, lassen Sie; 3. komm, kommt, kommen Sie, 4. geh, geht, gehen Sie; 5. lies, lest, lesen Sie
Übung 98: 1. Er hat die Einbrüche nicht begangen. 2. Er wollte kein Schmuckstück verkaufen. 3. Sie hatte kein Geld. 4. Erwin hatte nichts gewusst. 5. Sie hatten keinen Plan.
Übung 99: 1. Futur; 2. Adjektiv; 3. Passiv ; 4. Adverb
Übung 100: 1. Er hat sich ein Goldkettchen gekauft. 2. Sie versteckten sich hinter der Couch. 3. Wir konnten uns nicht vorstellen, dass es Salvatore war. 4. Warum hast du dich nicht bei mir gemeldet? 5. Habt ihr euch schon umgesehen?
Übung 101: 1. mussten. 2. durften. 3. konnte . 4. wollte. 5. sollten.
Übung 102: 1. Präteritum; 2. Plusquamperfekt; 3. Präsens; 4. Futur; 5. Perfekt
Übung 103: 1. des Hauses. 2. dem Auto. 3. des Gesichtslosen. 4. diesen Stiefeln. 5. die Verkleidung.
Übung 104: 1. sollte; 2. rufen; 3. waren; 4. griff; 5. funktioniert; 6. atmete; 7. starrten;

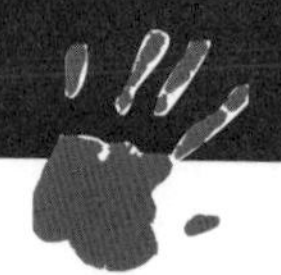

8. sprühte

Übung 105: 1. Als sie nach München fuhren, wollten alle telefonierten. 2. Schon seit einer Stunde wartete Eva. 3. Weil Salvatore Hilfe brauchte, befeuchtete sie das Tuch. 4. Sie machte sich Sorgen, da Specht nicht wiederkam.

Lösungen Abschlusstest

Übung 1: 1. Paul wurde Kommissar, als er zwanzig Jahre alt war. 2. Er verliebte sich in Eva, nachdem sie den Fall gelöst hatten. 3. Erwin wollte Agathe sofort anrufen, denn er liebte sie sehr.

Übung 2: 1. darf, durfte, hat gedurft; 2. kann, konnte, habe gekonnt; 3. wollen, wollten, haben gewollt; 4. müsst, musstet, habt gemusst

Übung 3: 1. Specht hatte seinen Kollegen Erwin in verdacht. 2. Eva holte Tränengas aus ihrer großen roten Tasche. 3. Salvatore bedrohte sie mit einer kleinen Pistole. 4. Die Sekretärin meldete ihm einen wichtigen Anruf. 5. Specht wurde wegen eines neuen Diebstahls geholt.

Übung 4: 1. Specht hat Huber angerufen. 2. Specht hat den Täter verhaftet. 3. Die Polizei untersucht die Diebstähle.

Übung 5: 1. Eva und Paul werden zusammen nach München zurückfahren. 2. Wir werden unser Deutsch auch mit dem nächsten Lernkrimi „Der Schatz des Märchenprinzen" üben. 3. In dem Krimi wirst du Eva und Paul wiedertreffen.

Übung 6: 1. euch; 2. dich; 3. mich

Übung 7: 1. der Safe, die Tür, die Safetür; 2. das Dach, der Boden, der Dachboden; 3. das Haar, die Bürste, die Haarbürste